I

WASURENAGUSA

DU MÊME AUTEUR

Le Poids des secrets
TSUBAKI, Actes Sud, 1999 ; Babel nº 712.
HAMAGURI (prix Ringuet de l'Académie des lettres du Québec),
Actes Sud, 2000 ; Babel nº 783.
TSUBAME, Actes Sud, 2001 ; Babel nº 848.
WASURENAGUSA (prix Canada-Japon), Actes Sud, 2003 ; Babel nº 925.
HOTARU (prix du Gouverneur général du Canada), Actes Sud,
2004 ; Babel nº 971.

Au cœur du Yamato
MITSUBA (prix de l'Algue d'or), Actes Sud, 2007 ; Babel nº 1123.
ZAKURO, Actes Sud, 2009 ; Babel nº 1143.
TONBO, Actes Sud, 2011 ; Babel nº 1286.
TSUKUSHI, Actes Sud, 2012 ; Babel nº 1380.
YAMABUKI (prix Asie de l'ADELF), Actes Sud, 2014 ; Babel nº 1470.

L'Ombre du chardon
AZAMI, Actes Sud, 2015 ; Babel nº 1551.
HÔZUKI, Actes Sud, 2016 ; Babel nº 1623.
SUISEN, Actes Sud, 2017.
FUKI-NO-TÔ, Actes Sud, 2018.
MAÏMAÏ, Actes Sud, 2019.

SUZURAN, Actes Sud, 2020.

AKI SHIMAZAKI

WASURENAGUSA

Le poids des secrets

roman

BABEL

Le matin du premier dimanche de mai.

Je suis assis dans un fauteuil de bambou, installé dans l'espace entre la fenêtre et la pièce de tatamis où je me couche. Un vent frais effleure ma joue. Rin... rin... rin... Au-dessus de ma tête, le *fûrin** de cuivre tinte doucement. Je lève les yeux, mon regard reste immobile quelques instants.

Je tiens un livre dans une main et un signet dans l'autre. C'est un ouvrage pharmaceutique, rédigé par mon collègue, monsieur Horibe. J'en ai grand besoin pour mes recherches. J'essaie de me concentrer, mais j'ai du mal à lire. Mes yeux lisent plusieurs fois les mêmes lignes. Je ne saisis pas bien le sens du contenu. Je me demande : «Qu'est-ce qui me dérange?»

Je regarde distraitement le signet de petites fleurs séchées. La couleur est passée. Au bout est écrit un mot en *katakana* : *niezabudoka*. Je ne connais pas ce mot d'origine russe, mais ce doit être le

---

* Les mots en italique sont regroupés dans un glossaire en fin d'ouvrage.

nom de la fleur. Il s'agit d'un souvenir envoyé récemment par Sono, qui séjourne à Harbin, en Mandchourie. Chaque fois que je vois ce signet, je pense à elle. Je la connais depuis mon enfance, elle était ma nurse quand j'avais quatre ans. Elle est maintenant dans la soixantaine.

À cette époque-là, avant qu'elle n'arrive chez mes parents, il y eut une période où je criais pendant la nuit. Cela persista quelques semaines et ma mère tomba malade. Elle se mit à souffrir de gastralgie et de manque de sommeil. Mon père décida de l'envoyer au chalet de Kamakura afin qu'elle se repose. Il chercha quelqu'un qui puisse s'occuper de moi en l'absence de ma mère et il trouva une femme du nom de Sono par l'intermédiaire du supérieur du temple S., qui connaissait bien mes parents depuis des années. Ce temple était aussi situé à Kamakura alors que notre maison était à Tokyo.

Je me souviens du jour où Sono est venue chez nous, accompagnée du supérieur du temple S. Elle portait un kimono à flèches violettes. Elle était beaucoup plus âgée que ma mère, mais très active. Elle me menait tous les jours dehors, à la rivière, à la montagne, à la colline. Le matin, elle préparait le panier-repas pour nos pique-niques et nous nous promenions toute la journée. C'était le printemps. J'attrapais des têtards, des insectes, des poissons, et je les rapportais à la maison.

Quand je me couchais, Sono chantait en me frottant le dos. Épuisé, je dormais sans difficulté.

Je me réveillais tôt. J'entrais dans sa chambre à côté de la mienne et je me glissais dans son futon.

Sono gardait aussi le fils du supérieur du temple S. Il s'appelait Kensaku, il avait le même âge que moi. Il était venu avec sa mère dont la maison natale était près de chez mes parents. Nous jouions en courant partout dans le quartier. Des gens nous prenaient pour des frères. Nous nous entendions très bien.

Un mois plus tard, remise, ma mère revint du chalet de Kamakura et Sono partit. Ma mère était contente que je ne pleure plus. Mon père lui dit : « Tout ça, c'est grâce à Sono, qui est bonne avec les enfants. » Pourtant, ma mère lui dit : « Elle est d'origine douteuse. Elle ne convient pas à notre famille. » Comme j'étais encore petit, je ne comprenais pas ce qu'elle voulait dire. Néanmoins, il me sembla que les mots « d'origine douteuse » étaient très négatifs. Sono ne revint plus jamais chez nous quand ma mère eut besoin d'une nurse pour moi.

Sono me manquait. Un an après son départ, je la croisai par hasard dans la rue. Cela me réjouit beaucoup. J'appris qu'elle habitait non loin de chez nous. Je commençai à fréquenter sa maison sans le dire à mes parents. Là-bas, j'écoutai pour la première fois Sono jouer du *shamisen*. Le son en était agréable à mon oreille. De temps en temps, Kensaku y venait quand sa mère ou son père restait à Tokyo. Nous nous amusions ensemble comme avant. Sono ne me posait jamais de questions sur mes parents.

Je continuai à la voir jusqu'à ce qu'elle déménage à Kamakura. Cette année-là, j'entrai à l'université, à Tokyo. Pris par mes études, puis par mon travail dans la compagnie et plus tard par mon mariage, je ne lui rendis visite que rarement. C'est seulement après mon divorce, il y a trois ans, que j'ai commencé à la revoir.

Quand je suis allé chez elle la dernière fois, elle se préparait à partir pour la Mandchourie. C'était au début de l'année où le ministère de la Guerre a évoqué l'éventualité de notre retrait de la Société des Nations. On entendait à la radio le slogan du gouvernement : « Il faut garder la Mandchourie ! C'est l'artère de notre empire ! » Le voyage de Sono dans une telle conjoncture m'inquiétait, mais elle m'a dit : « C'est peut-être ma dernière chance d'y aller. Il y a quelqu'un là-bas que j'aimerais vraiment revoir. »

Jamais mariée, Sono vit toujours seule. Ses parents sont morts quand elle était encore petite. Elle n'a ni frère ni sœur, elle ne connaît personne de sa famille, pas même de parent éloigné. Je ne sais comment c'est possible, mais c'est ce qu'elle me dit. Malgré tout, elle ne me semble pas solitaire. « Je suis trop curieuse. Je ne suis pas faite pour le mariage. Je n'ai pas la patience de rester à la maison. » Elle gagne sa vie en enseignant le *shamisen* aux geishas et dépense ses revenus en voyages.

J'envie son sort. Elle fait ce qu'elle veut. Pas moi. Je suis l'héritier d'une famille illustre. Mon grand-père était un politicien très connu à Tokyo et mon père l'est aussi. Quant à moi, je suis pharmacologue dans une grande entreprise de médicaments. Depuis que j'ai atteint l'âge de raison, mes parents me répètent : « Kenji, n'oublie pas que tu es l'héritier de la famille Takahashi. Tu dois te comporter en enfant digne de nos ancêtres. » Nous descendons, selon notre généalogie, de nobles de la cour impériale.

Je remets le signet dans le livre que j'ai à peine lu. Je m'allonge sur les tatamis et regarde longuement les veines de bois du plafond. Je soupire. Un moment, je vois l'image de ma première femme, Satoko.

Notre mariage, arrangé dans l'intérêt de la famille, ne tint que trois ans et deux mois. Satoko et moi n'avons pas eu d'enfant. Ce fut la cause principale de notre séparation. Mes parents me disaient : « C'est sa faute. Il faut faire quelque chose pour que notre lignée ne s'éteigne pas. »

Ils veulent que je me remarie dès que possible. Ils me parlent sans cesse des filles qu'ils ont choisies comme candidates pour devenir ma femme, ou plutôt leur belle-fille. Je ne voudrais pas rester célibataire toute ma vie. Cependant, je ne suis pas encore prêt à accepter l'idée de me remarier : j'ai un gros problème. Tôt ou tard, je devrai « le » dire à mes parents. Cela me pèse beaucoup, plus que le problème lui-même.

À franchement parler, je voudrais bien partir n'importe où en me dégageant de toutes mes obligations. Je voudrais être seul comme Sono, comme un orphelin.

Je me rappelle ma première rencontre avec Satoko.

Intimidée, elle parlait peu, mais ses paroles étaient claires et raisonnables. Ce qui m'a plu, c'est qu'elle s'intéressait beaucoup à la nature. Quand je lui ai raconté l'histoire de mon enfance où je jouais avec ma nurse aux champs, elle m'a écouté avec curiosité. J'ai remarqué qu'elle était influencée par son père, professeur de sciences à l'université. Nous avons bavardé agréablement ce jour-là.

Mes parents insistaient pour que je l'épouse. Ils m'ont dit : «C'est une fille bien élevée. Elle a l'air obéissant. En plus, elle est belle.» J'ai accepté leur proposition avec plaisir. Et trois mois plus tard, nous nous sommes mariés avec les vœux de tout le monde.

Six mois passèrent sans problèmes. Après, ma mère se mit à me demander fréquemment : «Ma belle-fille n'est-elle pas encore enceinte?» comme si elle m'avait demandé : «A-t-elle mangé son petit déjeuner?» J'essayais de l'ignorer. Cependant, elle se mit aussi à intervenir dans notre vie et à se plaindre du comportement de ma femme. «Satoko n'est pas obéissante du tout ! Elle réplique. Quelle éducation !» disait ma mère.

Trois ans passèrent sans enfant. «Mariée à un héritier, la femme qui ne peut faire d'enfant en trois ans doit quitter la famille.» Ma mère me rappela cet usage traditionnel et lança un jour à ma femme : «C'est votre faute, l'infécondité !» Mon père me suggéra une maîtresse en ajoutant : «Tu pourrais garder ta femme.» Je refusai. Satoko ne supporta plus les pressions exercées par mes parents et me dit : «Je voudrais vivre ailleurs.» Je comprenais son désir. Pourtant, je n'osais pas lui répondre que je le souhaitais aussi. «Je suis héritier, dis-je. Je ne peux abandonner ni ma maison ni mes parents.» Alors elle décida de partir.

Au dernier jour chez mes parents, elle soulagea son cœur en disant des choses auxquelles je ne m'attendais pas : «J'en ai assez de ta mère. Elle agit comme si elle était ta femme. Elle est jalouse de moi et elle le sera de toute femme que tu épouseras. Elle s'occupe de toi jusque dans la salle de bains !» Je répondis : «Tu t'imagines des choses ! Ma mère m'aime aveuglément parce que je suis son seul fils. C'est tout.» Elle cria : «Ton excuse ne tient pas. À vrai dire, j'en ai assez de toi. Je ne peux plus vivre avec un grand enfant. Tout le monde dira que notre mariage n'a pas marché parce que je suis inféconde. Je m'en fiche !»

Notre divorce déçut Sono. Bien qu'elle n'eût jamais vu ma femme, elle avait entendu le supérieur du temple S. parler d'elle et de notre mariage. «C'est dommage, dit-elle. Satoko me semblait bonne pour toi. En fait, j'ai cru qu'elle te sauverait.» Je ne comprenais pas ce qu'elle voulait dire. Contrairement à ma première impression, Satoko avait un caractère ferme et résistant. Sono dit : «Elle t'a apporté ce qui te manquait. Tu es trop obéissant envers tes parents.»

Un an après notre divorce, Satoko s'est remariée. Je l'ai appris de monsieur Horibe, dont l'épouse la connaissait. Et, au début de cette année, j'ai aussi appris que Satoko et son mari avaient eu un enfant. Cela m'a fait un choc et j'ai compris : «Ainsi, c'est moi qui suis responsable de notre infécondité !»

Ce jour-là, le Japon s'est officiellement retiré de la Société des Nations. Dans la rue, les gens répétaient le slogan qu'on avait entendu à la radio. Mes amis et mes collègues discutaient ferme de cet événement historique. Tout le monde s'inquiétait de l'avenir du pays. Trop déprimé par ma propre situation, je me tenais à l'écart.

J'ai décidé, au moins, de vivre seul. J'ai dit à mes parents que j'étais très pris par mon travail et que je devais m'installer pour le moment près de mon laboratoire. Mon père m'a dit : «Je comprends. L'État traverse un moment critique. Il faut coopérer aux besoins du pays. Travaille fort pour notre avenir. Tu pourras revenir ici quand tu te remarieras. Peut-être l'année prochaine.» Ma mère a ajouté : « On peut t'engager une femme de ménage, ou bien je peux t'accompagner. » J'ai refusé : « Merci, mais ce n'est pas la peine. J'ai plein de choses à faire pour mon travail. J'aimerais rester seul afin de me concentrer sur mes recherches. »

Cela fait quatre mois que j'habite ici, dans une petite maison louée à cinq cents mètres du laboratoire. Je passe toute la journée au travail et chez moi je ne fais que dormir et prendre un repas léger. Monsieur Horibe m'invite parfois à dîner chez lui. J'apprécie sa générosité, mais je n'en ai pas envie maintenant. Il est marié et a une fille de quatre ans, qui s'appelle Yukiko. Il me parle souvent d'elle. En fait, je n'ai pas envie non plus de manger seul chez moi. Je vais au restaurant tous les dimanches.

À vrai dire, au début, je m'abandonnais au désespoir. J'errais au centre-ville pour tuer le temps. Il m'est arrivé d'entrer dans un bistro. Quand je rencontrais une entraîneuse qui me plaisait, je lui demandais de coucher avec moi. Si elle disait oui, je l'emmenais dans un hôtel. Je changeais de femme presque chaque semaine. Je n'avais pas besoin de m'inquiéter à l'idée que les femmes tombent enceintes de moi. Néanmoins, plus je faisais l'amour avec des inconnues, plus je me sentais vide. J'ai couché une fois avec une prostituée. Lorsque j'ai tenté d'embrasser ses yeux et sa bouche, elle a refusé aussitôt en disant : « Non. Ça, je ne l'accepte que de mon petit ami. » Ces paroles m'ont déprimé encore plus. Depuis, je n'ai couché avec aucune femme.

J'aimerais rencontrer la femme qui a besoin de moi et dont j'ai besoin aussi. J'aimerais dormir en la tenant dans mes bras, en touchant sa peau douce et chaude, en caressant ses cheveux, son visage, son cou...

Je me sens toujours déprimé. Cependant, je veux faire quelque chose pour m'en sortir, comme l'a fait Satoko. Je ferme les yeux. Je vois son image avec son nouveau mari et leur enfant. Ils me sourient, très heureux. Je regrette de ne pas l'avoir défendue auprès de mes parents. Maintenant, je ne peux souhaiter que son bonheur.

Il est deux heures. Il faut que je fasse les courses aujourd'hui. En semaine, je ne rentre à la maison qu'après dix heures et les magasins sont alors tous fermés.

Je m'habille en écoutant une chanson populaire à la radio. Après quelques minutes, le bulletin d'information commence. On parle de la clôture temporaire de la Bourse en raison de la crise financière américaine. Par la suite, on évoque la situation de l'armée japonaise en Chine, qui a réussi à franchir la frontière après avoir livré bataille. Il semble que le Japon détache l'État du Mandchoukouo de la Chine continentale.

Je me souviens de ce que disait Sono dans la lettre qu'elle m'a envoyée avec le signet. « La Chine est un immense territoire. Je l'ai traversé en train jour après jour. Ce que nous faisons ici, c'est comme si un chat tentait de mordre un éléphant. » C'est peut-être vrai. J'ai le sentiment que le Japon se trompe de direction en quittant la Société des Nations. J'ai peur pour l'avenir de notre pays. Tôt ou tard, nous serons tous acculés à une situation catastrophique : la guerre contre le monde entier.

J'éteins la radio et sors de la maison en emportant un sac à dos. Je me dirige vers la rue commerçante où je fais mes courses le dimanche. Le ciel est limpide. Je respire profondément. Je sens l'air plus chaud et humide qu'avant. Ce sera bientôt l'été. Sono reviendra à Kamakura avant la saison des pluies.

Mon pas ralentit. Je décide de me promener un peu avant mes courses. J'habite un quartier agréable. Les maisons sont bien entretenues et il y a beaucoup d'arbres. Je marche en les observant. Quand je trouve un couple d'hirondelles qui fait son nid sous le toit d'une maison, je m'arrête et je les regarde un moment.

À mesure que je descends le chemin, le paysage devient de plus en plus modeste. J'entre dans une ruelle où je ne suis jamais passé avant. Sur le bord du chemin poussent des hortensias qui attendent la pluie. Quelques mètres plus loin, j'aperçois un bâtiment avec une croix au-dessus de la porte. Ce doit être une église chrétienne. Elle est entourée d'une clôture en bois. Je remarque devant moi une petite annonce écrite sur un vieux papier. «L'église cherche quelqu'un pour réparer le toit. Père S.» Le nom du prêtre n'est pas japonais. C'est un nom occidental. Je me demande aussitôt : «Qu'est-ce qu'il fait dans un pays bouddhiste et shintoïste ? Si la guerre commence, les étrangers comme lui devront quitter le pays.»

Je ne vois personne autour du bâtiment. Au moment où je repars, j'entends des voix d'enfants. J'avance le long de la clôture qui mène à l'arrière-cour, où il y a un autre bâtiment. Quelques petits enfants en sortent. Ils se mettent à se lancer une balle dans le jardin. Par la suite descend une vieille femme en kimono qui tient à la main un panier de légumes. Elle va au puits situé au fond du terrain et pompe de l'eau dans un seau. Je lève les yeux vers le toit. J'aperçois des tuiles brisées au bout du premier bâtiment.

— Monsieur !

Un garçon dans le jardin m'appelle. Il désigne du doigt le côté de la clôture où je me trouve. Je vois une balle de caoutchouc tombée par terre. Je la ramasse et la lance au garçon, qui l'attrape très bien.

— Merci, monsieur ! dit-il.

En regardant son visage candide, je songe à l'enfant que j'aurais pu avoir avec Satoko. Il aurait maintenant quatre ou cinq ans, comme ce garçon.

Je lui demande :

— Le bâtiment du côté gauche, c'est une église, n'est-ce pas ?

— Oui.

— Et celui du côté droit ?

— C'est notre maison.

Il recommence à jouer à la balle. « Notre maison ? Ces enfants habitent-ils à l'église ? » Cela m'étonne.

La vieille femme me jette un coup d'œil et se lève. Elle s'approche de moi en essuyant ses mains sur son tablier. Elle me demande, le regard soupçonneux :

— Que désirez-vous, monsieur ?

Je bégaie en cherchant mes mots :

— J'ai remarqué la petite annonce posée sur la clôture.

Aussitôt, son visage s'adoucit. Elle a les yeux arrondis et les lèvres épaisses. Son expression un peu enfantine me rappelle Sono.

— Vous êtes la cinquième personne qui vient ici, dit la vieille femme.

— La cinquième ?

— Oui, tout le monde croit que c'est un travail rémunéré, dit-elle.

— Qu'est-ce que ça veut dire ?

— C'est un orphelinat. On n'a pas d'argent.

« Orphelinat ? » Je regarde à nouveau les enfants qui jouent dans le jardin.

— J'ai vu sur l'annonce le nom du prêtre étranger, dis-je. Est-ce lui qui s'occupe des orphelins ?

— Oui. Il y en a dix au total.

— Dix ? Comment arrive-t-il à les garder seul ?

— Il travaille dans une compagnie d'import-export comme interprète. Il parle plusieurs langues européennes.

— Et le japonais ?

— Bien sûr, dit-elle.

— Avec ces enfants, a-t-il le temps de propager la foi ?

Elle sourit :

— Non, mais pour lui, vivre ainsi est la mission elle-même. À vrai dire, même s'il en avait le temps, il ne tenterait pas de prêcher les gens, qui ont déjà la foi de leurs ancêtres, ni les enfants dont il s'occupe.

Elle continue à parler du prêtre et des enfants. Je l'écoute sans mot dire. Quand elle s'arrête, je lui demande :

— Vous êtes chrétienne ?

— Oui, dit-elle. Je suis catholique. Mes parents l'étaient aussi.

— Vous êtes originaire de Tokyo ?

— Non. Je suis venue de Nagasaki.

Je la regarde dans les yeux :

— Madame, il faut que j'y aille maintenant. Mais dites au prêtre que je viendrai réparer le toit demain après mon travail.

Elle sourit de nouveau :

— C'est entendu, monsieur ! Il sera content de vous voir. Comment vous appelez-vous ?

— Je m'appelle monsieur Takahashi. Et vous ?

— Je m'appelle madame Tanaka. À demain !

Elle retourne au puits pour laver les légumes. Les enfants jouent toujours dans le jardin.

Je sors de la ruelle et me dirige vers la rue principale. Je renonce à l'idée de me promener dans le quartier. Je décide de faire mes courses et de rentrer chez moi directement.

Je marche en réfléchissant. L'image de la vieille femme tourne dans ma tête. Je n'ai jamais vu des yeux aussi purs que les siens, comme ceux d'un nouveau-né. Son regard est doux. Cependant, elle m'a fait l'impression d'être au fond très ferme. Cela me rappelle la vraie nature de Satoko.

Je songe à l'histoire des catholiques au Japon, qui ont été exilés, torturés ou tués à cause de leur résistance contre le régime. Je l'ai apprise dans un livre quand j'étais encore adolescent. Je ne comprenais pas la mentalité de ces gens. Je me demandais : «Pourquoi sacrifier sa vie avec une telle obstination pour une religion occidentale qui ne s'accorde pas avec la culture japonaise?» Je ne croyais pas que nous puissions comprendre la notion de Dieu absolu, de contrat avec lui, et l'idée que Jésus soit né d'une vierge. Je doutais fort qu'on pût implanter cette religion dans un terrain déjà imprégné de bouddhisme et de shintoïsme.

Je n'ai pas changé d'opinion depuis cette époque. Pourtant, quand je pense aux catholiques qui ont défendu leur foi, quoi qu'il arrive, je ne peux m'empêcher de reconnaître mon point faible. Le mot «résistance» me pique le cœur.

J'ai toujours été un enfant modèle, poli et obéissant. Je n'ai guère embarrassé mes parents. J'ai étudié avec zèle et j'ai eu de bonnes notes. Chaque année, l'instituteur m'a nommé délégué de classe en disant aux élèves : «Comportez-vous comme Kenji, c'est un exemple pour tous.» Mes parents en étaient évidemment fiers, surtout ma mère.

En réalité, j'avais peur d'être confronté à un problème, quel qu'il soit. J'avais peur des réactions négatives. Je me demande aujourd'hui pourquoi. Un moment, une image de mon enfance me revient à l'esprit : je pleure dans le noir. J'appelle ma mère : «Maman! Maman! J'ai peur!» Je veux dormir avec elle, mais elle ne veut pas. Elle me dit simplement : «Tu n'es plus un bébé!»

À sa façon de dire non je savais qu'elle ne changerait jamais d'idée. Elle restait de bonne humeur tant que je ne répliquais pas. Mon père me comprenait, mais il laissait ma mère décider toute seule pour moi. Alors, quand ma mère disait non, cela mettait un terme à notre conversation. Il n'était donc jamais possible de lui demander la permission de revoir Sono. Dans mon cœur d'enfant, je connaissais d'avance sa réponse : «Oublie-la. C'est fini entre nous.»

Mon père était toujours occupé par son travail. Il n'était pas de retour avant que je me couche. Quand je m'éveillais, il était déjà parti. Il ne faisait pas d'efforts pour passer des moments agréables avec ma mère, qui s'occupait de moi et de la maison. Ma mère était tout le temps frustrée. Elle m'aimait comme si elle avait tenté de compenser l'amour qui lui manquait. Cela me suffoquait, mais je ne pouvais que le supporter. Encore aujourd'hui, les choses n'ont guère changé entre nous, ni entre mes parents.

Après mes courses, je rentre tout de suite à la maison, où il n'y a personne. Je prépare un petit repas du midi et je mange en silence. Puis, je m'allonge sur les tatamis et je continue à lire le livre que j'ai essayé de finir ce matin. Le vent entre dans la pièce. Rin... rin... rin... Le *fûrin* tinte. Le son m'endort.

Satoko et moi marchons dans le chemin sur la digue. Devant nous s'étend une immense rivière. L'eau est profonde, le courant rapide. Le vent souffle contre nous.

Elle fredonne, la voix vibrante. Je tiens son épaule. La chaleur de sa peau se propage à travers sa chemise. Je caresse ses longs cheveux noirs. Je baise son front. Les yeux fermés, elle reste immobile. Une odeur de savon. Au moment où nos lèvres se superposent, elle ouvre grand les yeux et dit :

— J'entends une balalaïka.

Je dresse l'oreille. Je n'entends que le bruit du courant. Je dis :

— C'est toi, la balalaïka.

Elle sourit. Je prends sa main et continue à marcher.

J'aperçois un canot quelques mètres plus loin, agité par les vagues. Il est attaché à un arbre. Il n'y a personne autour. Je me demande qui oserait ramer dans un endroit si dangereux.

Satoko s'exclame :

— Regarde, là-bas ! C'est beau !

Elle désigne du doigt les petites fleurs bleues sur la rive, entre des roches. L'eau est tout près.

Elle demande :

— Tu peux en cueillir une pour moi ?

— Mais non ! Si le pied me manque, je serai facilement emporté par le courant.

Elle dit avec un faible sourire :

— Tu as raison.

Quand nous arrivons à un sentier qui mène au bord de l'eau, elle dit brusquement :

— Je te quitte maintenant.

— Me quitter ? Où vas-tu ?

Elle répond en me fixant :

— J'aimerais divorcer.

« Divorcer ? » Je n'en crois pas mes oreilles. Son regard est sérieux. Avant que je ne prononce le mot « Pourquoi ? », elle a déjà descendu la digue. Je tente de courir après elle. Pourtant, mes pieds ne bougent pas. Elle se dirige vers le canot que j'ai vu tout à l'heure. Il y a maintenant un homme et un petit garçon assis sur le banc. Ils me jettent un coup d'œil. Je me demande : « Qui sont-ils ? » Je crie à ma femme : « Attends ! » Elle m'ignore et monte dans le canot. Quand elle se retourne un instant, les fleurs bleues qu'elle voulait apparaissent dans ses bras. L'homme se met à ramer contre le courant. Graduellement, ils s'éloignent.

Je me réveille. Le soleil couchant pénètre par la fenêtre. J'aperçois le livre et le signet tombés sur les tatamis. Je me suis endormi en lisant. Les mains croisées sous la tête, je réfléchis à mon rêve. Satoko n'avait pas les cheveux longs ni la voix chantante. L'homme et le garçon avec elle ne me sont pas familiers. « Qui sont-ils ? Peut-être le nouveau mari et le nouveau-né de Satoko ? »

Je ferme les yeux. J'ai le sentiment d'avoir encore le son de la balalaïka dans l'oreille. C'est un instrument que j'ai vu chez Sono. Elle l'a obtenu il y a longtemps, disait-elle, d'un musicien russe qui était venu jouer à Tokyo.

J'ai chaud. Je me lève et vais au cabinet de toilette me laver le visage. L'eau est froide. Je me sens frais maintenant. En m'essuyant avec une serviette, je me regarde dans le miroir. Mon visage est inerte. L'image de l'homme qui rame contre le courant reste toujours dans ma tête.

Le lendemain, je quitte le laboratoire à cinq heures. Tout le monde est étonné, car c'est la première fois depuis le début de l'année. Monsieur Horibe me taquine : «Ça doit être un rendez-vous!» Je lui réponds : «Je voudrais bien que vous ayez raison.» En sortant, je me rappelle une nouvelle à son sujet, qu'un autre collègue m'a apprise ce matin. «Monsieur Horibe a une maîtresse. Il a un enfant d'elle.»

Je me rends à l'église. À l'entrée de la maison où habitent les enfants, une femme dans la quarantaine me reçoit.

— Ah, vous êtes monsieur Takahashi, n'est-ce pas? Madame Tanaka m'a parlé de vous. Elle est occupée en ce moment à la cuisine. Je vais vous présenter au père S. Suivez-moi, dit-elle en souriant.

Elle me conduit à l'église et monte dans une pièce au premier étage.

— Père, voici monsieur Takahashi!

Le prêtre est en train de travailler. Sur la table placée au milieu de la chambre, plusieurs dictionnaires sont ouverts. Dès qu'il m'aperçoit, il se lève de sa chaise derrière son bureau. C'est un homme très grand avec une barbe noire.

— Soyez le bienvenu, monsieur Takahashi, dit-il.

Je vois son costume d'été blanc et long, usé mais propre. Il se présente et parle de l'église et des enfants. Et puis, par la fenêtre il me montre le toit à réparer et m'explique ce que je dois faire : enlever les tuiles du coin, retirer les planchettes pourries, installer les nouvelles qu'il vient de scier lui-même et remettre les tuiles en place. Il ajoute qu'il va acheter demain des tuiles neuves pour remplacer celles qui sont brisées. Le travail me semble simple. Il me faudra environ une semaine. Ce sera un bon exercice pour moi qui reste assis toute la journée. Le prêtre dit :

— Prenez garde de ne pas glisser. Le toit est assez haut.

Je demande :

— Vous n'y montez pas vous-même ?

Il répond, gêné :

— J'ai peur des hauteurs.

J'enfile les vieux vêtements que j'ai apportés et me mets tout de suite au travail. Les planchettes se détachent sans mal. Je les fais tomber par terre, une à une, en vérifiant qu'il n'y a personne en vue.

Des petits enfants jouent dans le jardin. Une fille, qui a peut-être dix ou onze ans, les surveille en balayant les ordures. Un garçon tombe en butant contre une pierre et pleure. La fille le prend dans

36

ses bras pour le calmer, comme si elle était sa mère.

Je me rappelle ce que le prêtre m'a dit tout à l'heure : «Les enfants quittent l'église pour gagner leur vie après avoir terminé l'enseignement obligatoire.» Cela veut dire que cette fille aussi partira d'ici dans un ou deux ans. Il a ajouté : «Nos enfants réussissent bien à l'école. Les instituteurs nous aident à trouver un emploi adéquat pour eux. La plupart travaillent à l'usine.»

J'entends s'ouvrir la fenêtre de la maison des enfants. Je sens une odeur de poisson grillé. Madame Tanaka parle avec la jeune fille dans le jardin. Ensuite celle-ci m'appelle à voix haute :

— Monsieur Takahashi, *obâchan* vous invite à dîner. Voudriez-vous manger avec nous ?

J'ai faim. Je réponds :

— Volontiers !

Je termine la réparation du toit plus tôt que prévu. Néanmoins, je continue à donner un coup de main au prêtre. Puisque les deux bâtiments sont très vieux, je trouve toujours des choses à remettre en état. Il semble qu'ils aient été construits au milieu de l'ère Meiji. En fait, c'est un miracle qu'ils aient échappé au tremblement de terre de 1923.

J'apporte des médicaments à l'église quand il y a des surplus de spécimens au laboratoire. Mon supérieur connaît le prêtre, car lui aussi est catholique. Il m'a dit que la compagnie avait engagé il y a sept ans une fille de quinze ans de cet orphelinat. Elle avait travaillé comme coursière dans le bureau de l'usine. « C'est moi qui l'ai recommandée, a-t-il dit. Mais ce n'est pas par pitié ni par sympathie religieuse que je l'ai fait. Je savais que les enfants là-bas étaient bien élevés malgré leur malheur. Cette fille était sérieuse et discrète. On avait confiance en elle. Elle ne travaille plus dans la compagnie, mais je me souviens encore de son nom : Mariko Kanazawa. »

Le dimanche de la première semaine de juin.

Ce soir, je dois aller chez mes parents. Hier, ma mère m'a téléphoné au laboratoire pour me dire que mon père souhaitait dîner avec moi. J'ai tout de suite eu l'impression qu'ils allaient à nouveau me parler de remariage. Cela me pèse de les voir. Je pense à mon « problème », dont ils ne connaissent pas l'existence. Je devrai probablement le leur dire aujourd'hui.

Il n'est qu'une heure de l'après-midi. Je décide de me rendre à l'église pour passer du temps avec les enfants. Après, je pourrai aller chez mes parents directement.

Sur le chemin de l'église, j'achète des gâteaux que les enfants aiment. Lorsque j'y arrive, il n'y a personne sauf le prêtre, qui travaille dans son bureau. Il me dit que madame Tanaka et les grands enfants sont partis faire des courses et que les petits sont allés se promener avec la femme qui est venue aider ici récemment. Dans ce cas, je pourrai réparer une fenêtre de la pièce du rez-de-chaussée, où se trouve une statue de la Vierge Marie. La fenêtre coulisse toujours mal.

Le prêtre descend me poser des questions sur des mots japonais plutôt sophistiqués relatifs à la musique classique. Il me dit qu'il va servir d'interprète le lendemain à un musicien japonais qui doit rencontrer un violoniste étranger.

— C'est un Russe, dit-il, qui habite à Harbin.

— À Harbin ?

— Oui, c'est un membre de l'orchestre symphonique fondé par des Russes là-bas. Ces gens sont des expatriés de la Révolution.

En l'écoutant, je me rappelle la dernière lettre que Sono m'a écrite, dans laquelle elle parlait de l'orchestre et de cette ville. «Harbin est merveilleuse. On l'appelle "le Petit Paris" ou "le Petit Moscou". En descendant de la gare, on voit le toit en coupole de l'église orthodoxe et une belle rue européenne...»

Je dis au prêtre :

— Je ne savais pas que vous compreniez aussi le russe.

Il répond :

— Je ne le comprends pas du tout, mais ce violoniste parle plusieurs langues européennes.

Il remonte en répétant les mots japonais que je viens de lui apprendre.

Il est presque cinq heures. Je me mets à ranger les outils de charpentier. Au moment où je monte dans le bureau pour saluer le prêtre, j'entends les voix familières des enfants qui chantent. Je vois par la fenêtre les petits entrer dans le jardin. Les derniers arrivés sont une jeune femme et un garçon que je n'ai jamais vus ici. La femme doit être celle dont le prêtre m'a parlé tout à l'heure. Quant au garçon, il n'y a pas fait allusion. Elle ferme la clôture et passe devant la fenêtre sans m'apercevoir. Son apparence me rappelle quelqu'un. «Qui est-ce?» Je la suis des yeux. Les longs cheveux noirs, la jupe évasée, la chemise blanche d'été. Elle tient dans une main un bouquet de fleurs bleues. Je me répète : «Qui est-ce?» Et tout à coup, je me souviens du rêve que j'ai fait il y a quelques semaines. Je reste immobile en regardant la femme disparaître dans l'autre bâtiment.

Madame Tanaka et les grands enfants sont aussi de retour. Le prêtre descend de nouveau, l'air très fatigué. Il me dit :

— Les grands entreront bientôt dans l'église pour faire leurs devoirs. Je dois m'occuper des petits tandis que les femmes préparent le repas. Vous mangez avec nous, n'est-ce pas?

— Merci, mais je ne peux pas. Je dois aller chez mes parents ce soir.

Il s'approche de la fenêtre que je viens de réparer. En l'ouvrant, il s'exclame :

— Ça coulisse bien. Merci !

En mettant mes souliers, je lui demande qui sont la jeune femme et le garçon que j'ai vus. Il m'explique :

— Une mère et son fils. En fait, cette femme a vécu ici trois ans durant sa jeunesse.

— Était-elle orpheline ?

— Oui, mais c'est à cause du tremblement de terre d'il y a dix ans. Elle a perdu sa mère et son oncle, qui étaient sa seule famille.

Il se tait un moment. Je demande :

— Quel âge avait-elle à l'époque ?

— Elle avait douze ans.

— Cela a dû être pénible pour elle. J'espère qu'elle mène maintenant une vie heureuse avec sa propre famille.

Il ne répond pas. Je regarde son visage. Il dit avec hésitation :

— L'enfant est né hors mariage. Il ne sait pas qui est son père.

J'arrête de poser des questions. J'ouvre la porte de l'entrée. Il dit :

— Je voudrais vous les présenter la prochaine fois. Je suis trop fatigué aujourd'hui.

Je fais un signe de la tête. Il ajoute :

— La mère s'appelle Mariko Kanazawa et son fils, Yukio.

Je quitte l'église. Je me dirige vers la gare pour aller chez mes parents. En marchant, je me rends compte que Mariko Kanazawa est celle-là même dont mon supérieur me parlait.

Nous sommes à table, dans le salon de tatamis. Mon père est assis au bout, à sa place habituelle. Ma mère et moi devant lui, face à face. La table est pleine de plats raffinés, qui demandent beaucoup de préparation. J'imagine que ma mère a fait travailler Kiyo toute la journée. Mes parents ont engagé récemment cette femme de ménage, qui a une soixantaine d'années, comme Sono et madame Tanaka. Ma mère aime sa façon de cuisiner et apprécie son attitude obéissante. C'est une personne polie envers laquelle je n'éprouve pas encore de sympathie.

Je dis à ma mère :

— C'est un bon repas ce soir. Y a-t-il quelque chose à fêter ?

Elle sourit :

— Oui. C'est parce que tu es rentré chez toi après une longue absence. Alors, c'est pour toi.

Elle a mis l'accent sur les mots « chez toi ». Mon père me demande en me servant du saké :

— Kenji, comment va ton travail ?

Je réponds sans le regarder :

— Je suis très occupé tous les jours.

Il pose des questions sur la compagnie et mon collègue, monsieur Horibe, qu'il connaît bien. En donnant des réponses évasives, je goûte aux hors-d'œuvre les uns après les autres. J'ai tellement faim que je les finis en un rien de temps. Ma mère me dit, l'air content :

— Prends ton temps. Tu dormiras ici ce soir.

Je sens son regard significatif. Il est sûr que mes parents souhaitent discuter de mon remariage. Dans ma tête revient l'image de Satoko, ma première femme, qui tient son nouveau-né. Mon appétit s'en ressent. Je pose mes baguettes sur la table et reprends du saké.

Nous avons terminé le repas principal. Kiyo apporte du thé et des desserts. Quand elle sort de la chambre, mon père attaque le sujet :

— Il s'est passé déjà trois ans depuis ton divorce.

Je me tais. Il continue :

— Je comprends que tu travailles fort pour ta compagnie. Mais je crois qu'il est temps de penser aussi à toi. Il s'agit de ton remariage. Tu es héritier. Sois raisonnable.

Ma mère me sourit :

— On t'a trouvé une fille idéale. La famille est sûre.

Mon père ajoute :

— Elle est encore jeune. Tu auras beaucoup d'enfants avec elle.

Je les regarde en face et dis sérieusement :

— Je dois vous confier quelque chose d'important avant d'accepter quiconque.

Mon père me demande :

— Qu'est-ce qu'il y a ?

Après une respiration, je réponds :

— Je crois que je suis stérile.

Très étonnée, ma mère tourne la tête vers mon père, qui répète :

— Stérile ?

— Oui, dis-je.

Ma mère me demande :

— Comment en es-tu sûr ? Je croyais que c'était la faute de Satoko.

— Elle a maintenant un enfant avec son nouveau mari.

Le visage de ma mère se crispe. Les yeux écarquillés, mon père me regarde. Tous deux ne savent que répondre. Je dis calmement :

— Je n'ai pas l'intention de rester célibataire. Je voudrais bien me remarier un jour. Pourtant, je veux que vous soyez réalistes à ce propos.

Ma mère prend un ton sévère :

— On ne peut en parler à personne.

Je demande :

— Pourquoi pas ?

— D'abord, on ne sait pas si tu es vraiment stérile et...

Elle s'arrête un moment et ajoute en toute sérénité :

— ... tu es l'héritier de la famille Takahashi, qui a vu plus de quinze générations jusqu'ici. J'espère que tu seras discret à ce sujet.

Elle continue à parler de la fille qu'elle a trouvée, comme si de rien n'était. Je sens que c'est la fin de notre conversation : elle ne peut voir la réalité en face. Une image de mon enfance m'envahit : je pleure dans le noir, seul. « Maman ! Maman ! J'ai peur ! » Personne n'entre dans ma chambre... J'ai le cœur serré. Je fixe mon père, qui garde le silence, les bras croisés. Je bois du thé, mal à l'aise.

Je n'ai pas envie de dormir ici ce soir. Je jette un coup d'œil à la pendule sur le mur. Il est dix heures. Je pourrai attraper le dernier train. Je me lève.

— Où vas-tu ? demande ma mère.

— Chez moi. Je dois aller au laboratoire tôt demain matin.

Je porte la boîte à outils que le prêtre m'a passée et j'entre dans la pièce au rez-de-chaussée de l'église. C'est là que les enfants font leurs devoirs. Il y a huit tables rectangulaires et basses, que je vais réparer aujourd'hui. Les tables sont aussi utilisées par les femmes qui font des travaux d'aiguille. Elles cousent des vêtements pour les enfants.

À l'entrée, il y a la statue de Marie en bois. Je crois que cette pièce a été construite à l'origine pour la messe. Pourtant, je ne vois jamais le prêtre célébrer ici. Je vois seulement de temps en temps des gens agenouillés devant la statue, seuls.

Il fait chaud. J'ouvre la fenêtre que j'ai réparée l'autre jour. Je commence à examiner l'état de chaque table en les secouant. La moitié d'entre elles ne sont pas assez solides. J'en prends une et la pose à l'envers. J'arrache des clous courbés.

J'entends le bruit de la porte de l'entrée. Quelqu'un pénètre dans la pièce. Je tourne la tête. J'en ai le souffle coupé. Là, Mariko est debout, tenant un vase de fleurs bleues. J'arrête de bouger la main. Étonnée de ma présence, elle me demande :

— Pardonnez-moi de vous déranger.

Elle dépose le vase devant la statue de Marie. Je me lève et m'approche d'elle. Je me présente :

— Je m'appelle Kenji Takahashi.

Elle dit :

— Ah, c'est vous, monsieur Takahashi. J'ai entendu madame Tanaka parler de vous. Je m'appelle Mariko Kanazawa.

Je vois son visage de près. Sa peau toute blanche et soyeuse. Ses grands yeux. Ses paupières un peu épaisses. De longs cils. Des petites lèvres rouges et rondes. C'est un visage beau et attirant, mais je lui trouve une expression profondément triste. Je me souviens de l'histoire de son passé, que le prêtre m'a racontée.

Je dis :

— Ces fleurs bleues me sont familières. Les pétales sont si petits. Comment s'appellent-elles ?

Elle répond avec un faible sourire :

— Elles s'appellent *wasurenagusa*.

Elle sort de la chambre. Je m'assieds sur une table et regarde par la fenêtre. Elle passe devant et se dirige vers la maison des enfants.

Je ferme les yeux. Maintenant, l'image de Mariko est gravée clairement dans ma tête. Son regard nostalgique étreint mon cœur. J'ai des palpitations. « Suis-je amoureux d'elle ? »

Dans le jardin, quelques enfants jouent. Parmi eux, je reconnais son fils, Yukio. Il lance une balle,

48

seul. Il me jette un coup d'œil. Son regard est aussi nostalgique que celui de sa mère.

Le soir, je ne parviens pas à m'endormir. Je pense à Mariko et à son fils. Je m'inquiète de mes parents, qui ont presque décidé de me remarier à cette fille qui leur plaît. Il me faut faire quelque chose.

La semaine suivante, je vais à l'église après mon travail. Je monte directement au premier étage où le prêtre travaille. Je frappe à la porte en souhaitant qu'il soit là.

— Entrez !

Il est là.

— Ah, monsieur Takahashi !

Je vois du papier à lettres éparpillé sur la table. L'encre noire est encore humide. Je dis :

— Je sais que je vous dérange, mais pouvez-vous me consacrer un peu de temps ? J'ai quelque chose à vous demander.

Il me regarde, l'air surpris, et il me laisse m'asseoir dans le vieux fauteuil. J'attends qu'il s'installe sur sa chaise, devant moi.

— Ça me semble très sérieux, dit-il.

Je dis :

— Oui, ma vie en dépend.

— Vraiment ? De quoi s'agit-il ?

Je dis d'un trait :

— Je voudrais demander Mariko en mariage.

— Quoi ? Qu'est-ce que vous avez dit ?

Il se penche en avant. Je répète :

— Je voudrais demander Mariko en mariage.

Il est stupéfait. Ses yeux restent écarquillés quelques instants. Il respire profondément avant de me dire :

— Écoutez, monsieur Takahashi. Il faut être réaliste. Vous êtes issu d'une famille illustre alors que Mariko ne l'est pas du tout. Elle était même orpheline et elle a maintenant un enfant naturel, comme je vous l'ai déjà expliqué. Mariko a vécu une dure expérience avec un homme riche qui les a abandonnés, elle et Yukio.

— Connaissez-vous cet homme ?

— Non, je ne l'ai jamais rencontré. En fait, selon Mariko, il voulait se marier avec elle, mais ses parents n'ont pas accepté leur mariage. Étant orpheline, elle avait simplement voulu fonder sa propre famille. Elle était trop naïve. Évidemment, elle en a été gravement blessée. Quand elle s'est trouvée enceinte, l'homme était déjà marié avec une autre femme que ses parents avaient choisie. Madame Tanaka est allée avec une sage-femme à son appartement, le jour de l'accouchement.

Il continue. Je l'écoute en silence. Il m'apprend que Mariko a quitté la compagnie, il y a cinq ans, en raison de sa grossesse. Depuis, elle gagne sa vie en cousant à la maison. Elle est revenue à l'église afin que son fils se fasse des amis. En même temps, elle aide madame Tanaka à préparer le repas du soir. Elle voudrait trouver un emploi stable avant que son fils ne commence l'école.

— Je suis fier de Mariko, dit-il. Elle se débrouille tant bien que mal. Elle est aussi bonne cuisinière. Selon elle, sa mère était professeur d'enseignement ménager dans un collège pour filles. Même si elle n'avait que douze ans à l'époque où elle a perdu sa mère et son oncle, elle était déjà capable de bien faire le ménage.

Je demande :

— Et son oncle, que faisait-il ?

— Il était écrivain et journaliste, répond le prêtre.

— Mariko a donc été élevée dans une famille instruite.

— Je crois que oui, dit-il. Cependant, personne ne connaît ni sa famille ni son passé. Et Mariko ne veut plus en parler, surtout du tremblement de terre. Vous souvenez-vous de cette catastrophe qui a fait plus de cent quarante mille morts et disparus ?

— Oui, très bien, dis-je. J'avais vingt ans à l'époque. Le plus atroce pour moi, ce fut le massacre des Coréens par les Japonais pendant le désordre et la panique.

Le prêtre se couvre le visage des mains et reste immobile un moment.

— C'était vraiment horrible, dit-il. Mariko n'a rien à voir avec ces événements, mais elle a aussi souffert pendant le séisme en perdant toute sa famille. Pauvre fille, c'est trop.

Il baisse la tête, les mains croisées. Nous nous taisons longtemps. Je dis :

— Je comprends la situation de Mariko. Néanmoins, pourriez-vous au moins me donner une chance ? Je voudrais les inviter, Mariko et Yukio, à sortir avec moi.

Il me regarde fixement, mais il ne répond pas tout de suite. Il réfléchit. J'attends sans rien dire.

— J'accepte à une condition, dit-il enfin, comme s'il était le père de Mariko.

— Laquelle ?

Il répond :

— Si vous plaisez à Mariko et que vous la demandez en mariage, je veux que vous teniez parole quoi qu'il arrive. Si cela ne vous est pas possible, veuillez la laisser tranquille maintenant. Je ne veux plus qu'elle soit jamais blessée.

Je regarde le ciel nuageux. Je pense à Sono, qui doit revenir de Mandchourie avant la saison des pluies. J'espère que je pourrai lui annoncer une bonne nouvelle lors de notre prochaine rencontre. Je vois Sono et Mariko côte à côte, comme sur une photo.

Sono est la seule personne avec qui je puisse parler de ma situation compliquée : ma responsabilité d'héritier, ma stérilité, ma rencontre avec une orpheline qui a un fils naturel, ma difficulté à convaincre mes parents. Sono me manque.

À vrai dire, il y a déjà eu une période où je me suis éloigné d'elle. J'étais étudiant à l'université. Je ne supportais pas son manque d'instruction. Je n'ai même pas présenté ma première femme à Sono, qui gagnait sa vie en enseignant le *shamisen* aux geishas. C'est seulement après mon divorce que j'ai compris ce qu'elle voulait me dire sur ma vie. En fait, c'est une personne très sage. J'ai honte de la façon dont je me suis comporté avec elle.

Trois jours ont passé depuis que j'ai parlé de Mariko avec le prêtre. Je réfléchis sans cesse.

Tout de même, c'est ma vie, quoi que disent mes parents. Je dois décider par moi-même.

Je m'installe sur ma chaise. Sur le bureau traîne le signet de fleurs séchées que Sono m'a envoyé. En apercevant les petits pétales, je me souviens du mot *wasurenagusa* que Mariko m'a appris l'autre jour. J'écris ce mot à côté des lettres *niezabudoka*.

— Mariko !

Le prêtre l'appelle par la fenêtre de l'église. Je me tiens debout derrière lui. Elle est en train de balayer dans le jardin. Son fils joue seul près de la clôture de l'entrée. À l'aide d'un bâton, il dessine par terre. Il nous regarde un instant, le prêtre et moi. Mariko se dirige vers nous et entre par la porte à côté de la fenêtre. Je me raidis. Le prêtre lui dit :

— Voilà monsieur Takahashi. Il voudrait parler avec toi, Mariko, comme je t'ai déjà expliqué hier.

Et il nous dit :

— Montez dans mon bureau. Je vous laisse seuls.

Il nous sourit et descend dans le jardin. Je ne vois plus Yukio. Nous montons au premier étage. La porte du bureau est ouverte. Mariko s'assied dans le vieux fauteuil et moi sur la chaise du prêtre. Nous sommes en face l'un de l'autre. Après un moment de silence, je dis franchement :

— J'ai eu le coup de foudre pour vous l'autre jour. Je ne pense qu'à vous depuis cet instant.

Ça semble très enfantin, mais c'est mon vrai sentiment.

Son visage rougit. Je la fixe :

— Je voudrais vous fréquenter en vue du mariage.

Elle répond :

— Vous êtes au fait de mon milieu familial, n'est-ce pas ?

— Oui. Je suis prêt à entreprendre mes parents pour qu'ils comprennent votre situation et vous acceptent comme ma fiancée.

— S'ils disent non ?

— Je vais les quitter.

Elle est surprise :

— Les quitter ? Impossible ! J'ai entendu dire que vous êtes l'héritier d'une famille traditionnelle.

— Mariko, je parle sérieusement. Au mieux, je ferai tous les efforts nécessaires pour que mes parents consentent à notre mariage.

— Je ne comprends pas, dit-elle en secouant la tête.

— Qu'est-ce que vous ne comprenez pas ?

— Pourquoi voudriez-vous prendre un tel risque en me choisissant ? Si vous quittez vos parents, votre lignée s'éteindra. C'est grave.

Je me tais. Elle me regarde en face. Je dis, hésitant :

— Je dois vous confier une chose très importante à mon sujet.

Ses yeux s'ouvrent grand :

— Une chose très importante ?

— Oui. Je suis probablement stérile.

— Stérile ?

— Oui.

Elle ne sait que répondre. Nous nous taisons longtemps. Je dis :

— Je voudrais adopter votre fils, Yukio.

— Adopter Yukio ?

Elle me regarde, l'air déconcerté. Ses mains tremblent. Je les prends dans les miennes. Je dis fortement :

— Mariko, je vous le répète. Je ne me vois pas avec une autre femme que vous.

Elle dit, les yeux baissés :

— Je comprends ce que vous m'avez dit, mais c'est trop pour aujourd'hui.

— Vous avez raison. J'attendrai jusqu'à ce que vous décidiez, oui ou non.

Elle se lève du fauteuil et sort du bureau. Je l'entends descendre lentement les marches et fermer la porte d'entrée.

Il pleut tous les jours. C'est la saison des pluies. Je vais au laboratoire à pied. En marchant, je vois partout des hortensias en fleurs. Je m'arrête et les regarde, émerveillé par la beauté de toutes ces couleurs vives. Lorsque je trouve un escargot entre des feuilles, je me souviens de mon enfance passée avec Sono. Je lui rendais visite après l'école. Dans son petit jardin, je cherchais des escargots et les mettais dans une bouteille avec des feuilles mouillées. Je me plaisais à observer ces petites bêtes.

Je me demande : «Où est Sono, maintenant?» Pas de nouvelles. Elle devait être de retour à Kamakura avant cette saison. Je n'ai aucun moyen de communiquer avec elle, si elle a déjà quitté Harbin. Je ne peux que l'attendre. J'éprouve une vague inquiétude.

Je rentre à la maison directement après le travail. Je ne vais pas à l'église depuis que j'ai parlé avec Mariko. J'attends encore sa réponse, anxieux. Cependant je me sens beaucoup plus léger et calme qu'avant.

Aujourd'hui, tout le monde arrête de travailler plus tôt que d'habitude. La météo annonce un orage pour ce soir. Quand j'arrive chez moi, le vent se lève et la pluie tombe de plus en plus fort. Ma chemise est à demi trempée. Je me mets en *yukata*.

Je me prépare une tasse de thé et m'installe dans le fauteuil de bambou devant la fenêtre. J'ouvre le journal d'aujourd'hui que je viens d'acheter. Tout à coup, il y a des éclairs. Quelques secondes après, le tonnerre gronde. Cela se répète plusieurs fois. J'éteins la lumière et regarde le spectacle du ciel.

Je réfléchis à ce que mon supérieur disait lors de la réunion de ce matin. Il parlait d'une succursale de la compagnie à Nagasaki, qui avait besoin d'un autre pharmacologue. Tout le monde se regardait. Cette ville est à environ sept cents kilomètres de Tokyo. Personne ne semblait avoir envie d'y aller. C'est trop loin de la capitale et cette mutation donne l'impression d'un limogeage. En écoutant mon supérieur, je me suis rappelé que madame Tanaka venait de Nagasaki. Elle disait que la ville était le refuge des catholiques qui avaient subi l'oppression du gouvernement féodal, surtout dans la région d'Uragami.

En fait, je suis curieux de vivre ailleurs qu'à Tokyo. Je pense maintenant que ce n'est pas si mal d'aller à Nagasaki, bien que cela ne soit pas réaliste pour mes parents.

Vers sept heures, l'orage s'arrête et le temps se calme. Je vois le ciel du côté ouest se dégager. Il fera beau demain.

J'entends le bruit de la porte coulissante de l'entrée. Quelqu'un m'appelle :

— Monsieur Takahashi !

C'est une voix de femme. Je m'approche de l'entrée. Je reconnais Mariko, debout dans la pénombre. Je dis aussitôt :

— Quelle surprise !

Elle dit :

— J'ai demandé votre adresse au prêtre. Pardonnez-moi de vous déranger ainsi.

— Au contraire, je suis très content que vous soyez venue. Entrez ! Je vais vous préparer une tasse de thé tout de suite.

— Non, merci, dit-elle. Yukio m'attend à l'église. Nous sommes restés là-bas plus tard à cause de l'orage. Je suis venue parce que ma décision est prise.

— Votre décision est prise ? Alors ?

Elle baisse les yeux un moment puis me regarde en face :

— J'ai décidé d'accepter votre demande en mariage.

— C'est vrai ?

Je prends ses mains. Elle fait un signe de la tête.

— Mais, dit-elle, je n'ai pas encore parlé de ma décision à Yukio. Il est très sensible. J'ai besoin de temps pour lui.

— Oui, vous avez raison. J'attendrai qu'il s'habitue à ma présence. Ne vous inquiétez pas.

Je tiens Mariko dans mes bras et dis :

— Merci d'avoir accepté ma demande. Je vais écrire une lettre à mes parents pour leur dire que nous sommes fiancés. Quand Yukio sera prêt à l'idée de notre mariage, je vous présenterai à mes parents. D'accord ?

Elle fait à nouveau un signe de la tête. Elle lève le visage. Nous nous regardons. Je la serre fort contre ma poitrine. Sa chaleur se propage en moi. Ma respiration devient de plus en plus courte. J'essaie de me calmer. Je caresse la peau soyeuse de son visage. Elle ferme les yeux. Ses joues sont mouillées. Je l'embrasse sur le front, sur les paupières, sur les lèvres. Elle dit, hésitante :

— Il faut que j'y aille maintenant, mais voudriez-vous dîner chez moi demain ?

— Avec plaisir !

Elle part. En suivant du regard sa silhouette, je pense à Sono à qui j'aimerais les présenter, Mariko et Yukio, à elle en premier.

Je quitte mon travail à l'heure et rejoins Mariko et Yukio au coin de la petite ruelle et de la rue principale, près de l'église. Elle porte son panier à provisions. Nous allons chez le *yaoya* que je fréquente seul tous les dimanches.

Quand nous entrons dans le magasin, la femme du propriétaire nous regarde en souriant. C'est la première fois que je viens ici avec quelqu'un d'autre. Mariko et moi choisissons des légumes, des poissons, des fruits. Yukio observe avec curiosité les coquillages dans une boîte de bois. Lorsque je paie, la femme tend un filet de *hamaguri* à Mariko en disant :

— *Okusan*, c'est un porte-bonheur. Je vous les donne en prime.

Mariko rougit. Je réponds aussitôt :

— Merci, madame. C'est gentil.

Je mets les choses lourdes dans mon sac. Mariko prend le reste dans son panier à provisions. Je porte Yukio sur mes épaules. Nous sortons du magasin.

L'appartement de Mariko est situé dans un quartier en retrait de la rue commerçante. Le long du petit chemin s'étendent de vieilles maisons à étage, comme un *nagaya*. Je remarque des gens dans la rue qui chuchotent en nous regardant. Mariko marche d'un pas rapide, en silence. En entrant dans son appartement, elle me dit :

— Ne vous en faites pas. Les gens sont curieux.

Yukio me dit, sur mes épaules :

— Ils sont méchants parce que je n'ai pas de père.

Mariko détourne les yeux. Je le mets par terre et lui demande :

— Yukio, tu veux faire des bateaux de papier ? J'ai apporté beaucoup de feuilles usagées du laboratoire.

— D'accord, répond-il.

Mariko commence à préparer le dîner dans la petite cuisine tout à côté de l'entrée. Il n'y a que deux pièces : l'une pour dormir et l'autre pour manger. Je vois plusieurs robes accrochées au mur. La couleur en est voyante. Mariko me dit :

— C'est mon travail, la couture.

Je joue avec Yukio en écoutant Mariko couper des légumes. L'odeur des *hamaguri* grillés se répand. Cela sent très bon.

Nous mangeons. Le repas est excellent. Les poissons, les coquillages et les légumes sont cuits légèrement, c'est savoureux. Je me régale.

Après le dîner, Yukio nous demande :

— Peut-on jouer au *kaïawase* ? Je vous montre comment.

Il met les coquilles des *hamaguri* sur la table. Il explique :

— Les règles du jeu sont très simples : trouver les deux coquilles qui formaient la partie originale.

Je connais ce jeu, mais je dis quand même :

— Elles sont toutes pareilles !

— Non, regardez bien, dit-il.

Il prend deux coquilles et les colle l'une contre l'autre.

— Elles ne sont pas de la même grandeur, n'est-ce pas ?

— Tu as raison, dis-je.

— Alors, ça ne sera pas facile, monsieur Takahashi !

Mariko sourit.

En fait, c'est un jeu archaïque dont l'origine remonte à l'époque de Heian. Les nobles jouaient avec des coquilles dans lesquelles étaient écrits des poèmes. Je demande à Yukio :

— Où l'as-tu appris, ce jeu ?

Il ne répond pas. Mariko me dit :

— Peut-être de madame Tanaka, qui aime les *hamaguri*. Elle dit aussi qu'il n'y a que deux morceaux qui vont vraiment ensemble, comme un couple qui s'entend bien.

Yukio gagne, très content de lui. Mariko lui dit de faire sa toilette. Je lave la vaisselle alors qu'elle s'occupe de son fils. En se frottant les yeux, Yukio me demande :

— Monsieur Takahashi, pouvez-vous venir chez nous demain aussi ?

Je regarde Mariko, qui lui répond :

— Bien sûr !

Mariko et Yukio entrent dans leur chambre. J'entends Mariko chanter, d'une voix douce. Je m'immobilise et l'écoute. Cela me rappelle Sono, qui chantait tous les soirs pour m'endormir. J'ai le cœur serré.

Mariko sort de la chambre et me dit :

— Yukio s'endort. Merci, monsieur Takahashi, pour cette soirée très agréable.

Je mets mes mains sur ses épaules :

— Nous sommes fiancés, Mariko. Ne me remercie pas comme les autres. Appelle-moi Kenji et tutoyons-nous, à partir de maintenant.

Elle se couvre le visage de ses mains et se met à pleurer. Je la serre contre moi et nous restons ainsi longtemps.

Nous sommes au milieu du mois de juin.

Il pleut. Installé dans le fauteuil de bambou, je lis un livre en tenant dans la main le signet de Sono. Je vois les mots *niezabudoka* et *wasurenagusa* et me demande : «Qu'est-ce qui se passe ? Je n'ai pas encore de nouvelles de Sono. Est-elle tombée malade après un si long voyage ?»

Je réfléchis un moment et je décide d'aller bientôt à Kamakura, où se trouve sa maison. Je pourrais y emmener Mariko et Yukio. De toute façon, je veux montrer à Yukio la mer, qu'il n'a jamais vue.

Le dimanche suivant, le ciel se dégage après cinq jours de pluie. Tôt le matin, je vais chercher Mariko et Yukio, qui m'attendent avec un panier-repas.

Nous allons à la gare de Tokyo. Yukio est excité par sa première sortie en train. Il est impressionné par la taille de la locomotive à vapeur. Dans le train, il me pose sans cesse des questions sur le fonctionnement de la machine. Sa curiosité est étonnante : sa mère ne s'intéresse pas du tout à ces détails techniques.

Nous descendons à la gare de Kamakura et prenons l'autobus jusqu'à la plage Shichirigahama. Yukio se met à courir dès qu'il aperçoit la mer. Nous ramassons des coquillages dans un filet. Nous construisons un immense train de sable. Yukio semble heureux. Après le repas, Mariko et moi, nous nous allongeons sur un morceau de tissu qu'elle a apporté. Yukio continue à jouer dans le sable.

Vers quatre heures, nous quittons Shichirigahama et nous allons chez Sono en passant par une autre plage, Yuigahama. C'est à dix minutes de la mer. Comme prévu, elle n'est pas là. Les voisins ne savent pas non plus quand elle reviendra. Et tout à coup, je me souviens du temple S. qui se trouve près de chez Sono. Je propose à Mariko de le visiter.

Nous y arrivons quelques minutes plus tard. C'est tranquille. Il n'y a personne. Nous montons dans le cimetière derrière le sanctuaire. En marchant, je raconte à Mariko l'histoire du temple S. et du fils du supérieur, Kensaku, avec qui je jouais durant mon enfance.

À l'entrée du cimetière, Yukio s'exclame :

— Il est grand !

Je dis :

— La prochaine fois je te montrerai aussi le temple M. où mes ancêtres sont enterrés. Le cimetière est beaucoup plus grand que celui-ci.

Il me demande :

— Où est-il ?

Je réponds :

— À Tokyo, dans le quartier où mes parents habitent.

Je me courbe devant une pierre pour lire des lettres. J'entends Yukio dire derrière moi :

— Où est la nôtre, maman ?

— Nous n'avons pas de tombe, répond Mariko.

— Qu'est-ce que ça veut dire ? Nous n'avons pas d'ancêtres ?

— Nous en avons, mais nous ignorons qui ils sont.

Il se tait un moment. Mariko dit brusquement :

— Yukio, je vais bientôt épouser monsieur Takahashi.

J'en ai le souffle coupé. Elle continue :

— Nous habiterons ensemble tous les trois. Monsieur Takahashi t'aime beaucoup.

Yukio reste silencieux, longtemps.

— Monsieur Takahashi... dit-il enfin.

Je me retourne vers lui. Il dit :

— Moi aussi, je vous aime beaucoup. Je savais que vous vouliez épouser ma mère, mais pouvez-vous me promettre une chose ?

Il est sérieux. Son regard et ses paroles me rappellent le prêtre étranger. Mariko est sur le point de me dire quelque chose. Je fixe Yukio dans les yeux :

— J'écoute.

Il dit :

— Je veux que vous promettiez de ne jamais faire pleurer ma mère.

— Yukio! s'écrie Mariko.

Elle est stupéfaite. Je prends les mains de Yukio :

— Oui. Je te le promets. C'est entendu!

Il sourit enfin et saute à mon cou. Je le serre fort dans mes bras.

Quand nous arrivons chez Mariko, Yukio dort déjà à poings fermés sur mon dos. Mariko prépare tout de suite le lit pour lui. Je me repose en m'allongeant sur les tatamis. Elle apporte des tasses de thé.

Je dis :

— Yukio t'aime beaucoup. Je l'envie. J'envie son rapport étroit avec toi, sa mère.

Elle dit :

— J'espère que ses paroles ne te vexent pas trop. Je suis frappée de stupeur par ce qu'il t'a dit dans le temple S.

Je me lève :

— Non, pas du tout! En fait, j'aimerais l'adopter le plus tôt possible.

Elle baisse les yeux. Je prends ses mains. Elle me regarde. Je caresse ses cheveux, son visage, son cou. Je tiens ses épaules entre mes mains. Nos lèvres se superposent. Ma langue cherche sa langue. Ma respiration devient courte.

— Je te veux! Je ne peux plus me retenir.

Je déboutonne sa chemise. Elle me laisse faire. Je touche sa forte poitrine chaude et soyeuse. Je suce un mamelon et reste immobile quelques instants, comme un petit garçon. Elle prend ma tête dans ses bras et la caresse. Je couche Mariko sur les tatamis. Je l'embrasse sur le front, sur les yeux, sur le nez, sur les oreilles, sur le cou. J'ôte sa jupe et sa culotte. Elle m'aide à me déshabiller. Je touche son sexe tout chaud et mouillé. En entrant en elle, je sens son sexe serrer le mien. Les deux se collent complètement comme des *hamaguri*. Je gémis :

— Ah ! Mariko, je t'aime !

Nos lèvres se superposent de nouveau. Nous bougeons les fesses de plus en plus fort. Elle pousse des gémissements et crie :

— Viens, Kenji !

Nous atteignons l'orgasme en même temps. Des larmes coulent sur mes joues. En me calmant, je l'entoure de mes bras.

Au matin, le chant d'un coq bruyant nous réveille. Aussitôt, je quitte la maison, car je dois me changer chez moi avant d'aller au travail. Je marche en pensant aux événements d'hier. « Monsieur Takahashi ! » Dans l'oreille, j'ai encore le son de la voix de Yukio. Son visage candide me sourit.

Je suis incapable de me concentrer sur mon travail. Ma tête est envahie sans cesse par l'image de Mariko. Son corps m'obsède complètement depuis que nous avons fait l'amour pour la première fois. Je me rappelle le doux toucher de sa peau. Dans ma tête, j'embrasse à nouveau son visage, son cou, sa poitrine...

Je suis jaloux de son passé. Je suis jaloux de tous les hommes avec qui elle a couché. Comment a-t-elle réagi à ces hommes ? Je ne peux l'imaginer prenant du plaisir avec quelqu'un d'autre que moi. Chaque fois que je vois Yukio, cela me tourmente. Je pense à son père, qui a fait l'amour avec sa mère. « Qui est-ce ? » Je voudrais bien poser directement à Mariko des questions sur son passé, mais en même temps, je crois que les réponses me tourmenteraient davantage. Je tente de me calmer.

Je dois présenter Mariko et Yukio à mes parents, qui doivent avoir reçu ma lettre leur annonçant nos fiançailles. Je sais que ce ne sera pas facile pour eux, qui sont responsables de la famille, d'accepter mon remariage avec elle. Cependant, quoi qu'ils me disent, pour moi il ne sera pas question de faire marche arrière. J'essaierai de les convaincre du mieux que je peux. Dans ma lettre, je leur ai aussi expliqué que Mariko est née dans une famille instruite et que son malheur est simplement dû au tremblement de terre, qui a affecté tant de gens à l'époque.

Je regrette que Sono ne soit pas encore de retour.

Aujourd'hui, j'emmène Mariko et Yukio chez mes parents. Mariko est très nerveuse, elle me demande quel vêtement porter.

— Je n'ai pas de kimono, dit-elle.

Je réponds :

— Il fait chaud. Mets la chemise d'été blanche et la jupe beige que tu aimes. Tu es élégante avec ça.

Nous prenons l'autobus et le train. De la gare, il faut marcher vingt minutes jusqu'au quartier de Chiyoda, près du palais impérial, où mes parents habitent. Pendant le voyage, Yukio ne parle pas. De la fenêtre, il regarde le paysage, en tenant la main de sa mère.

— Ça y est, Yukio, dis-je.

Nous sommes devant la porte principale de la maison de mes parents. Yukio lève les yeux. Il ne voit que les hautes clôtures de bois qui entourent la maison. Il me demande pour la première fois :

— C'est ici que vous êtes né ?

— Non. Je suis né au chalet de Kamakura.

J'ouvre la porte et les fais entrer dans le jardin. Mariko s'exclame :

— Quelle grande maison !

Yukio me regarde :

— Le jardin est sombre. J'ai peur.

Je caresse sa tête :

— C'est à cause des pins qui couvrent tout. L'avantage, c'est qu'il y fait frais en été.

Kiyo nous reçoit à l'entrée de la maison et nous conduit dans le salon. Elle nous apporte des tasses de thé et en sort sans rien dire. Vingt minutes passent.

— Je vais chercher mes parents, dis-je à Mariko.

Au moment où je me lève, j'entends des pas dans le couloir. Mon père entre enfin dans le salon, suivi de ma mère. Ils s'assoient au bout de la table. Je leur dis aussitôt :

— Voici Mariko Kanazawa et son fils, Yukio.

Mariko s'incline profondément et Yukio l'imite, gauchement. Mon père regarde Mariko :

— Vous savez que notre fils est l'héritier de la famille Takahashi.

Elle lève les yeux, toute pâle. Je dis à mon père :

— Je l'ai déjà bien expliqué à Mariko.

Mon père ne répond pas. Brusquement, ma mère dit à Mariko :

— Vous êtes d'origine douteuse, n'est-ce pas ?

Choqué, je regarde ma mère et demande :

— Qu'est-ce que vous avez dit ?

La tête baissée, Mariko reste immobile. Yukio prend la main de sa mère. Son regard est triste.

«Quelle humiliation!» Je sens tout mon sang me monter à la tête. Je crie à mes parents :

— Ça suffit! Je suis à bout de patience!

Ils sont très surpris, car je n'ai jamais crié ainsi. Je poursuis :

— Vous voulez encore m'empêcher de prendre une décision qui concerne ma vie?

Ma mère me dit :

— Le mariage est l'affaire de la famille. Ce n'est pas seulement à toi de décider.

Mon père me dit :

— Réfléchis, mon fils.

Je crie encore :

— Quels mots, quelle impolitesse, devant ma fiancée et son fils! Je ne le supporte plus! Excusez-vous!

Ma mère me répond avec froideur :

— Toi, tu manques de retenue envers nous.

Mariko se lève. Sa main tient toujours celle de Yukio. Elle me regarde, perplexe :

— Nous vous quittons maintenant.

— Non, Mariko! Attends!

Mon père m'arrête en me prenant le bras. Mariko et Yukio sortent du salon.

— Laisse-les partir. Il y a quelque chose que tu dois savoir au sujet de cette orpheline et de son fils illégitime, dit mon père.

Je ne comprends pas ce qu'il veut dire. Il continue :

— Nous avons engagé un détective privé au sujet de la famille de Mariko Kanazawa.

«Un détective privé?» Je n'en crois pas mes oreilles.

— Selon lui, dit mon père, personne à Tokyo du nom de madame Kanazawa n'a été professeur d'enseignement ménager dans un collège pour filles. Personne du nom de monsieur Kanazawa n'a été journaliste et écrivain non plus. Dans le *koseki*, on n'a trouvé que le nom de Mariko. Aucune trace du nom de ses parents. Sais-tu, Kenji, que son *koseki* a été établi seulement après le tremblement de terre en 1923? Cela me semble bizarre. Je n'ai jamais entendu une telle histoire. Comment peut-on perdre toute trace de passé en un jour?

Je ne réponds rien. Ma mère dit, l'air satisfait :

— Mariko est menteuse. On ne peut pas accepter ton mariage avec une femme pareille. Elle n'en a que pour ton argent !

Mon père se calme :

— Sois réaliste, Kenji. Tu es héritier, c'est très important. Oublie tout.

Ma mère continue :

— Tu nous as vraiment causé du souci. Nous te pardonnons, car tu n'en savais rien.

Ils se taisent, je me lève.

— Je pars, dis-je.

Étonnés, tous deux me demandent en même temps :

— Où vas-tu?

— Je vais les chercher, Mariko et Yukio.

— Tu es fou ! crie ma mère, hystérique.

Mon père élève le ton, menaçant :

— Tu peux aller les chercher, mais la famille Takahashi ne peut les accepter.

— Alors, je quitterai cette famille !

Ma mère répète :

— Tu es fou !

Je sors du salon. Je mets mes souliers en hâte. Mes mains tremblent. Je cours à toutes jambes vers la gare. Je me rappelle le visage de Yukio effrayé. Je sais qu'il n'a pas compris ce que mes parents tentaient de dire à sa mère. Pourtant, il devait sentir leur méchanceté à leur façon de parler. «Vous êtes d'origine douteuse, n'est-ce pas ?» Ce sont les mêmes paroles que ma mère a adressées à Sono. Des larmes coulent sur mes joues. Je hais mes parents à mort.

Je les aperçois de loin, Mariko et Yukio. Au même moment, je revois l'image de l'homme qui rame contre le courant. Dans le canot sont assis une femme et un petit garçon. La femme tient dans ses bras un bouquet de petites fleurs bleues. Le canot tangue violemment. Il fend les flots. Les embruns jaillissent. Je crie : «Attendez !» Tous trois tournent la tête vers moi. Je peux maintenant distinguer leurs visages : celui de Mariko, celui de Yukio et le mien.

II

Un après-midi de mai.

Nous sommes seuls à la maison, ma femme et moi. Mon fils est au travail, sa femme fait des courses, et leurs enfants sont à l'école. Je prépare le jeu de *shôgi* dans la chambre de tatamis, qui donne sur le jardin. C'est le jour où mon ami, monsieur Nakamura, vient chez nous.

J'ouvre toutes les vitres coulissantes. Le ciel est limpide. Je sens l'odeur du renouveau printanier. Les feuilles du kaki deviennent plus touffues de jour en jour. Les bourgeons jaunes commencent à s'ouvrir. Un couple d'hirondelles passe au-dessus de l'arbre. La brise souffle. Rin... rin... rin... Le *fûrin* tinte.

Mariko est assise dans le fauteuil de bambou posé devant le parterre. Elle tricote, bien adossée. Un instant, elle arrête de bouger les mains et regarde les oiseaux qui volent entre les fils électriques. Ses cheveux blancs légèrement ondulés brillent sous les rayons du soleil doux. Elle me jette un coup d'œil et continue à tricoter. Un moment, je vois son image d'autrefois.

Elle balaie dans le jardin de l'église. Elle porte une chemise d'été blanche et une jupe beige. Ses longs cheveux noirs. Sa forte poitrine. Sa taille étranglée. Elle m'attire immédiatement avec son regard nostalgique.

Je me souviens du jour où nous avons fait l'amour pour la première fois. Je n'avais jamais rencontré une femme aussi sensuelle. Il m'a fallu du temps pour surmonter ma jalousie envers son passé.

Je sais qu'elle a accepté ma demande en mariage dans l'intérêt de son fils, Yukio. Pour elle, il était son seul lien de sang et je comprenais bien le sentiment d'une mère qui souhaitait que son enfant naturel puisse avoir un père qui lui donnerait une bonne éducation. Je n'ai jamais cru qu'elle courait après l'argent, comme mes parents l'avaient imaginé. Mariko et Yukio sont arrivés dans ma vie pour me sauver de la dépression et de la solitude. J'avais besoin d'une motivation déterminante pour quitter l'endroit où je ne me sentais jamais à l'aise.

Mariko tricote toujours dans le jardin. Je dépose un *zabuton* sur l'*engawa*. Au moment où je m'allonge, j'ai une douleur au cœur. L'image de mes parents me traverse l'esprit. En me frottant la poitrine, je respire profondément.

Je n'ai jamais regretté mon mariage avec Mariko. Pourtant, je me sens encore coupable envers mes parents. J'ai failli à mes obligations comme héritier d'une famille qui avait plus de trois siècles de tradition.

Je ferme les yeux. La douce chaleur du soleil couvre ma peau. Je m'assoupis en écoutant les oiseaux chanter dans l'arbre. Rin... rin... rin... Je m'endors.

Soudain, j'entends la voix de monsieur Nakamura :

— Bonjour, madame Takahashi ! Quel beau temps !

Je me lève. Je vois mon ami saluer Mariko d'un coup de chapeau. Il lui tend un pot de fleurs. Mariko s'exclame :

— *Wasurenagusa !* C'est joli ! Merci !

Cela fait quarante-six ans que nous sommes mariés.

J'ai adopté Yukio lors du mariage et nous avons déménagé ensemble à Nagasaki où la compagnie avait une succursale. Là-bas, tranquilles, nous avons formé une famille agréable. J'ai été content quand Yukio m'a dit : « Ma mère ne pleure plus. Elle sourit. » J'ai envoyé de temps en temps une lettre au prêtre, avec un peu d'argent. Il semblait toujours occupé par son travail et les enfants. Ses lettres étaient courtes, pourtant elles me donnaient à croire qu'il était très heureux pour Mariko et Yukio.

Sono est revenue de Mandchourie juste avant notre départ pour Nagasaki en 1933. Elle était tombée malade à Harbin. À son retour, elle a dû séjourner à l'hôpital. Je n'ai pu la revoir qu'une fois. J'ai amené Mariko et Yukio. Cela a réjoui Sono. Je lui ai promis de revenir la chercher un jour afin que nous puissions vivre ensemble, à Nagasaki. Malheureusement, elle est morte cette année-là.

Dix ans plus tard, en 1943, on m'a muté en Mandchourie. Je devais travailler six mois dans le laboratoire d'un hôpital à des recherches sur des médicaments de guerre. Mon collègue, monsieur Horibe, est venu me remplacer à Nagasaki avec sa famille et je suis parti. Pourtant, j'ai dû demeurer en Mandchourie plus d'un an. La situation du Japon dans les îles du Pacifique se détériorait de plus en plus. Et peu avant la fin de la guerre, j'ai été capturé par les Russes, lorsque je visitais un village tout près de la frontière. On m'a envoyé dans un camp de travaux forcés situé près de la ville d'Omsk en Sibérie. Là-bas, j'ai appris la terrible nouvelle : une bombe atomique était tombée sur Nagasaki. D'ailleurs, la bombe avait explosé au-dessus de la région d'Uragami où ma famille et celle de monsieur Horibe habitaient toujours. Incapable de savoir s'ils étaient en sécurité, j'étais déprimé. Je souffrais de la faim, du froid, de la mauvaise nourriture. Je me suis senti plus mort que vif pendant deux ans.

Je suis revenu au Japon en 1947. J'étais tellement heureux en apprenant que Mariko et Yukio avaient survécu à la catastrophe. Ils m'ont accueilli à la gare de Nagasaki, très étonnés de mon apparence, vieillie et amaigrie. Nous nous sommes embrassés en pleurant. Ils étaient allés à la gare chaque fois qu'ils apprenaient que des rapatriés de la Sibérie arrivaient. Mariko m'a dit que le matin où la bombe est tombée, elle était à la campagne pour échanger une de ses robes contre du riz. En fait, c'était madame Horibe qui l'avait invitée à aller là-bas, car elle connaissait un couple de fermiers qui cherchait des vêtements occidentaux pour leur fille. Yukio était allé à l'hôpital universitaire avec un de mes collègues, qui avait besoin de son aide. J'étais vraiment reconnaissant, même si c'était par hasard, à madame Horibe et mon collègue qui avaient sauvé Mariko et Yukio. Malheureusement, monsieur Horibe est décédé chez lui lors de l'explosion. Sa femme et sa fille Yukiko sont retournées à Tokyo quelques semaines après la bombe. J'ai eu de la compassion non seulement pour elles, mais aussi pour la maîtresse de monsieur Horibe et son enfant.

La succursale de la compagnie était toujours là-bas, à Nagasaki. Après un mois de repos, j'ai recommencé à travailler.

Mes parents ont aussi survécu aux bombardements des B-29 en se réfugiant à la campagne. Quand je suis revenu de Sibérie, ils m'ont demandé de retourner à Tokyo avec Mariko et Yukio. Cela était tout à fait inattendu, mais j'ai décidé de rester à Nagasaki. Âgés, ils ont vendu tous leurs biens immobiliers et déménagé dans une maison de retraite.

En 1951, Yukio a terminé ses études universitaires à Nagasaki et il est parti à Tokyo chercher du travail. Il a déniché un bon poste comme chimiste dans une compagnie de produits alimentaires. Là-bas, il a essayé de retrouver l'église de son enfance, mais elle n'existait plus. Il n'a pas retrouvé le prêtre ni madame Tanaka. Ils sont peut-être morts lors des bombardements.

Mon père est décédé en 1955. Ma mère, l'année suivante. Selon la loi, leur avocat a communiqué avec moi pour régler la succession. Je me suis rendu à Tokyo et j'ai reçu l'argent qu'ils avaient gardé en banque. Ensuite, je suis allé au temple M. payer les frais d'entretien de la tombe de nos ancêtres. Et après, je suis allé à l'hôtel de ville m'informer sur tous les orphelinats de la ville. Je les ai visités un à un en distribuant l'argent de mes parents. Quand je suis revenu à Nagasaki, Mariko m'a dit : « Vivant ou non, le prêtre apprécie ce que tu as fait. Merci, mon chéri. »

Yukio s'est marié en 1964, à l'âge de trente-cinq ans. Sa femme est aussi une victime de la guerre : elle a perdu ses parents lors des bombardements sur Yokohama. Le couple a eu trois enfants. Il y a quatre ans, ils ont acheté une maison à Kamakura et nous ont invités, Mariko et moi, à vivre chez eux. En fait, ils étaient inquiets pour ma santé ; les travaux forcés en Sibérie m'ont beaucoup affaibli.

Monsieur Nakamura s'assied vis-à-vis de moi à la table de *shôgi*. Il me dit en déposant les pièces :

— Nous avons de la chance d'avoir des petits-enfants.

Je réponds :

— Certainement.

Il vient de voir son fils, notre voisin, qui a deux enfants et dont la femme va accoucher bientôt. Monsieur Nakamura et sa femme habitent eux-mêmes dans un autre quartier. Je connais cette famille depuis que Mariko et moi avons emménagé à Kamakura.

Monsieur Nakamura dit :

— Hier, j'ai rendu visite à ma fille, à Tokyo, et j'ai croisé dans la rue un bonze qui était un ami de mon père. Il était en route vers la prison.

— La prison ? Mon Dieu ! A-t-il commis un crime ?

Il rit :

— Il est aumônier. Il allait là-bas prêcher auprès d'un condamné à mort.

— Un condamné à mort ?

— Oui, répond-il en avançant une pièce. Ce bonze m'a dit quelque chose d'intéressant.

— Quoi donc ?

— Lors de l'exécution, ceux qui n'ont pas d'enfant ont plus de difficulté à se consoler de leur mort que ceux qui ont des enfants.

J'ai un coup au cœur. Il ignore que je n'ai pas d'enfant à moi et que j'ai adopté Yukio. J'essaie d'imaginer le moment de ma mort en pensant à ma famille : ma femme, Yukio, notre belle-fille et nos trois petits-enfants. Je ne crois pas que j'aurai du mal à quitter ce monde.

Monsieur Nakamura poursuit :

— Peut-être que ce n'est pas la question d'avoir un successeur ou non. Ça doit être l'état de l'âme au moment de la mort. Ceux qui n'ont pas d'enfant s'attristent de ce que leur lignée s'éteindra.

Je me tais. Il continue de me rapporter les propos du bonze. Selon lui, ce qui est important pour le condamné à mort, c'est que son âme remplie de colère et de haine soit purifiée avant l'exécution. Pour la purifier, il faut se confesser du fond du cœur. Sinon, cette âme erre et renaît, et cela veut dire que le crime se répétera. On peut effacer complètement le corps, mais pas l'âme.

Je l'écoute avec curiosité et demande :

— À quel temple appartient-il, ce bonze ?

Il répond :

— Au temple M.

« Temple M. ? C'est là que mes parents et nos ancêtres sont enterrés. » En fait, je le visite, seul, deux fois par an. Mon cœur palpite. Je suis sûr que mes parents sont morts en colère contre moi. Je ferme les yeux un instant.

Monsieur Nakamura me regarde :

— Vous avez l'air perdu. C'est moi qui vais gagner aujourd'hui.

Monsieur Nakamura est parti. Il avait raison. Désorienté, j'ai perdu le match de *shôgi*. Il était content, car il avait perdu plusieurs fois de suite ces derniers temps.

Je descends au jardin. Dans un coin du parterre, Mariko est en train de transplanter les fleurs que mon ami lui a offertes. Je m'approche alors qu'elle arrose le pied de la plante. Les petits pétales bleus m'attirent.

Je m'installe dans le fauteuil de bambou. Je demande à Mariko :

— Te souviens-tu de la femme qui s'appelait Sono ?

— Sono ?

Elle me regarde un moment. Elle réfléchit. J'ajoute :

— Ma nurse. Tu l'as rencontrée à l'hôpital, à Tokyo, peu avant notre départ pour Nagasaki.

— Ah, elle ! Cette femme était gravement malade du cœur et son médecin nous a permis exceptionnellement de la voir, car nous étions sur le point de quitter la ville.

— Oui, c'est ça.

— Je n'ai parlé avec elle que quelques minutes, mais je n'oublierai jamais ce qu'elle m'a dit.

Je demande :

— Qu'est-ce qu'elle t'a dit ?

— « Mariko, merci d'accepter de devenir la femme de Kenji. Vous et votre fils lui avez apporté un grand bonheur. »

Je suis étonné :

— Alors, que lui as-tu répondu ?

— Rien. Je ne savais que répondre, mais ses paroles m'ont fait pleurer. Elle m'a parlé comme si elle avait été ta vraie mère. Elle m'a rappelé le prêtre étranger de l'orphelinat, qui se comportait comme s'il avait été mon vrai père.

Je me tais. Mariko ajoute :

— On n'oublie jamais les paroles gentilles de quiconque.

Elle ramasse le pot vide, le transplantoir et l'arrosoir. Elle me demande en se levant :

— Pourquoi m'as-tu parlé de Sono tout à coup ?

— Les fleurs me l'ont rappelée. C'est tout.

Elle rentre dans la maison.

Je regarde de nouveau les fleurs et me dis : « On n'oublie jamais les paroles méchantes de quiconque non plus. » Je sais que Mariko se souvient de celles de ma mère : « Vous êtes d'origine douteuse, n'est-ce pas ? » Sono m'avait souvent répété : « Kenji, il ne faut dire à personne des mots blessants. » Elle avait raison.

Je garde toujours le signet que Sono m'a envoyé de Harbin.

À l'hôpital, je lui ai dit : «Je le conserverai précieusement en pensant à toi, avec le nom *niezabudoka*.» Elle a souri et m'a dit : «Mais je ne connais pas le nom de ces fleurs en japonais. C'est drôle.» J'ai dit : «Elles s'appellent *wasurenagusa* en japonais.» «*Wasurenagusa ?* Quel beau nom !» «À vrai dire, je ne le connaissais pas non plus. Mariko me l'a appris lors de notre première conversation à l'église.» Sono s'est exclamée : «Ça me semble très symbolique pour vous deux !»

Le signet a voyagé avec moi partout, même en Sibérie. En fait, j'ai vu des fleurs de *niezabudoka* au camp de travaux forcés, dans la région d'Omsk. Au printemps, le champ en était couvert comme un immense tapis bleu. Un jour, j'ai aperçu, à travers la barrière de fer, une jeune femme en train de cueillir des fleurs et d'en faire une guirlande. Autour d'elle, un petit garçon courait. Je les ai regardés en songeant à Mariko et à Yukio.

— Jinmu, Suizei, Annei, Itoku...

Monsieur Nakamura se met à prononcer le nom des empereurs successifs du Japon. Je l'écoute en disposant les pièces de *shôgi*.

Avant la guerre, les élèves devaient les apprendre par cœur. Je me souviens que Yukio se plaignait : «Il y en a cent vingt-quatre au total. C'est trop !» En général, il était faible dans les matières faisant appel à la mémoire. Pourtant, ce n'était pas seulement la question du nombre. Il m'a demandé : «Papa, comment est-il possible de garder la même lignée d'une famille si longtemps sans interruption ?» Il savait que j'étais le dernier héritier de la famille Takahashi et que notre lignée allait s'éteindre parce que je n'avais pas d'enfant. J'ai donné une réponse évasive : «N'y pense pas trop. C'est un simple exercice de récitation.» Évidemment, cela ne l'avait pas satisfait.

— ... Meiji, Taïshô et enfin Shôwa ! dit monsieur Nakamura.

— Quelle mémoire à votre âge !

Les pièces sont toutes disposées sur la table. Monsieur Nakamura les regarde avec une grande ardeur. Nous commençons à jouer.

— À vrai dire, dit-il, j'ai dû aider mon fils à les mémoriser. Il avait beaucoup de difficulté en récitation. Résultat, c'est moi qui ai réussi, mais pas mon fils.

Je ris. Il continue :

— C'est incroyable d'avoir une si vieille famille impériale, la plus vieille du monde. Nous avons maintenant le cent vingt-quatrième empereur !

— Pourtant, dis-je, il ne sera pas facile à l'avenir de garder seulement la lignée paternelle. C'est à cause du Code de la famille impériale appliqué à l'ère de Meiji et après la guerre. De fait, huit héritières ont régné entre l'époque d'Asuka et d'Édo.

— Vous avez raison. C'est pour cela que jusqu'à l'ère de Taïshô, l'héritier dont la femme était inféconde ou qui n'avait que des filles pouvait avoir des concubines afin d'avoir des garçons. Mais cette coutume ne se pratique plus maintenant.

— Alors, dis-je, on devrait modifier le Code pour que la femme puisse devenir héritière.

— Très bien, répond-il.

Son regard est fixé sur les pièces. Je poursuis :

— Si l'on attache de l'importance à la continuité de la lignée paternelle ou maternelle, il faudra considérer toutes les possibilités de faire des enfants. Par exemple, la femme dont le mari est stérile pourrait avoir des concubins.

Monsieur Nakamura me regarde, interloqué :

— Quoi ? Qu'est-ce que vous avez dit ?

— Des concubins pour les femmes. Pourquoi pas ? Ce n'est pas seulement les femmes qui sont infécondes. Les hommes peuvent l'être, et parfois les deux.

— Je ne suis pas certain que je pourrais me faire à cette idée, même dans le cas où je serais stérile. J'aimerais mieux ne pas avoir d'enfant que de voir ma femme coucher avec quelqu'un d'autre.

Il a l'air embarrassé. Je dis :

— Moi aussi. Les hommes sont vraiment égoïstes.

Je souris amèrement en me rappelant l'époque où j'étais accablé de jalousie par le passé de Mariko.

Aujourd'hui, nous avons fini par faire match nul. Monsieur Nakamura semble quand même satisfait. Nous descendons dans le jardin. En s'étirant, il me demande :

— Avez-vous jamais pensé au *kaïmyô* ?

Je réponds :

— Non. Pourquoi ?

Il dit :

— J'ai fait une fois un voyage d'affaires à Vancouver, et j'ai eu l'occasion de visiter un cimetière protestant là-bas. J'étais curieux de lire ce qu'on gravait sur les pierres tombales.

— C'est intéressant. Qu'est-ce que vous avez trouvé ?

— Une formule très simple avec le nom du défunt, l'année de sa naissance et celle de sa mort.

— C'est vrai ? Qu'est-ce qu'on écrit comme formule ?

— J'ai lu : *In memory of a beloved husband, wife, son, daughter...*

— C'est tout ?

— Oui. Ah! Je me souviens que j'ai trouvé aussi des poèmes.

— C'est romantique, dis-je.

— Chez les bouddhistes, le bonze choisit le *kaïmyô* selon la somme qu'il reçoit de la famille. Cela me semble insipide, surtout quand il ne connaît pas le défunt.

Monsieur Nakamura présume que je suis bouddhiste, naturellement. Mes parents et mes ancêtres l'étaient, mais je ne pratique pas, même si je visite leur tombe. Franchement, je n'apprécie pas les rites ligotés par des règles que les temples appliquent à leur guise.

Je dis à monsieur Nakamura :

— Il y a trop de vénalité. Comme dit le proverbe : «Même en enfer, le jugement dépend de l'argent.»

Il soupire :

— Malheureusement.

J'ajoute :

— On pourrait inscrire n'importe quels mots sur la tombe. Un nom de fleur, par exemple.

— En fait, répond-il, j'ai vu l'autre jour une pierre avec un nom de fleur tout à fait par hasard, dans le temple S.

«Temple S.?» Je me souviens tout de suite de Kensaku avec qui je jouais dans mon enfance. J'y suis allé la dernière fois avec Mariko et Yukio, avant notre départ pour Nagasaki. Cela fait quarante-six ans. Puisque je ne m'intéresse pas, à la différence de monsieur Nakamura,

106

aux temples ou aux tombes, je n'ai jamais pensé à revisiter ce temple, même si j'habite tout près.

Je demande à monsieur Nakamura, par curiosité :

— Quel est le nom de cette fleur ?

Il répond :

— *Wasurenagusa !*

— *Wasurenagusa ?*

— Oui. C'est tellement beau, n'est-ce pas ? C'est pour cela que je vous ai apporté un pot de cette fleur l'autre jour.

Je me tais. Je réfléchis. Il me regarde :

— Qu'est-ce qu'il y a ?

Je dis :

— Cela me dit quelque chose. Avez-vous vu le nom du défunt ?

— On n'y voit que « Sono » en *hiragana*. Ce doit être son prénom.

Je m'exclame :

— Sono ! Je suis sûr maintenant que c'est une personne que je connaissais !

— Quelle coïncidence ! Le monde est vraiment petit.

Il m'explique où se trouve la pierre tombale et dit :

— Au moment de sortir du temple, j'ai aperçu un bonze qui avait l'air d'avoir votre âge.

Ce doit être Kensaku. Je me souviens toujours de son visage. En fait, sa mère disait que nous nous ressemblions comme des frères.

Monsieur Nakamura ajoute :

— Les traits de son visage m'ont rappelé les vôtres.

Quelques jours passent. Je décide d'aller au temple
S. aujourd'hui. J'aimerais bien m'assurer de mes
propres yeux que c'est la tombe de Sono. Je suis
aussi curieux de revoir Kensaku. Je me demande
s'il se souvient de moi. Nous avions à peu près
dix ans quand nous nous sommes rencontrés la
dernière fois.

Je me rends au temple S. Je passe devant le
sanctuaire. Il n'y a personne. Je monte au cimetière.
L'odeur du *senkô* effleure mes narines. Des fleurs
de saison sont déposées par-ci par-là. Certaines sont
fraîches, d'autres fanées. J'observe le terrain entier et
cherche des yeux l'endroit que monsieur Nakamura
m'a décrit. La pierre tombale en question devrait se
trouver au coin opposé à l'entrée. Je vais jusqu'à la
dernière rangée et je tourne à droite.

J'arrive au coin et vois une tombe à l'écart des
autres, toute seule, blanchie par le temps. Couverte
de lichen sec, sa surface est rugueuse. J'examine
de près les lettres gravées sur la pierre. Je les lis
en faisant glisser mes doigts. *Wa-su-re-na-gu-sa*.
Je regarde sur le côté gauche : Sono, née en 1871,

décédée en 1933. Je me dis : « Sono, je suis content de te revoir. J'aimerais amener Mariko ici la prochaine fois. »

Je me courbe devant la pierre. Je ferme les yeux, les mains jointes. Je me vois petit garçon de quatre ans, je cours après Sono en criant : « Attends-moi ! » Elle se retourne. Elle ouvre les bras vers moi. Elle sourit : « Kenji, viens vite ! »

Derrière, il y a des bambous et des camélias. Je peux imaginer que l'endroit devient très joli quand les fleurs s'épanouissent. Je me demande qui lui a élevé cette tombe. Sono n'a pas eu de famille. D'ailleurs, elle me disait : « Je n'ai pas de tombe familiale et je n'en désire pas non plus. »

— Monsieur...

J'entends une voix hésitante. Je tourne la tête. Un bonze qui porte une longue étole noire d'été s'approche de moi lentement. Je me lève. Je vois son visage. Aussitôt je m'exclame :

— Kensaku !

— Kenji, c'était bien toi ! J'ai appelé parce que j'ai vu pour la première fois quelqu'un s'incliner devant la tombe de Sono.

Il me fixe avec nostalgie :

— Ça fait vraiment longtemps que nous nous sommes vus. Où habites-tu maintenant ?

— Ici, à Kamakura.

Il est étonné. J'évoque dans quelles circonstances je m'y suis installé. Il dit avec un accent ému :

— Ça doit être un *innen* que tu sois venu à l'endroit où tu es né.

Je me rends compte que son visage ressemble beaucoup à celui de son père. Il demande :

— Comment as-tu trouvé la tombe de Sono ?

Je raconte l'histoire de mon ami, monsieur Nakamura. Kensaku m'écoute, impressionné.

Il m'invite à boire du thé. En marchant, il me dit que c'est son père qui a élevé le tombeau à Sono, selon ses dernières volontés. Elle avait choisi elle-même le mot *wasurenagusa*. J'essuie une larme au coin de l'œil. Je me dis : « Sono m'attendait. »

Kensaku me conduit dans sa maison, située près du sanctuaire. Il me laisse au salon et va chercher du thé. Toutes les portes coulissantes sont ouvertes. Le vent pénètre dans la pièce, qui donne sur le jardin. Je vois des pots de bonsaïs disposés sur l'étagère basse. Kensaku entre en apportant lui-même des tasses de thé. On entend un chat miauler. Nous regardons vers le jardin où plusieurs chatons suivent leur mère. En me servant, il me dit :

— Ce sont des chats errants. Je leur donne tous les jours des restes de nourriture.

Il dit qu'il vit seul. Sa femme est décédée il y a trois ans. Je me demande s'il a des enfants et qui est le prochain héritier mais j'hésite à poser ces questions. Au lieu de ça, je dis :

— Sais-tu pourquoi je suis parti pour Nagasaki ?

— Oui, très bien. Après ton départ, tes parents sont venus ici demander à mon père de te rappeler tout de suite.

— Je ne le savais pas… Alors, qu'est-ce que ton père a répondu ?

— Il leur a dit simplement : « Il ne faut pas retenir ceux qui veulent partir. » Tes parents ont été fâchés. Depuis, ils ne sont jamais revenus au temple.

Je vois l'image de mes parents en colère. Je dis :

— À vrai dire, depuis des années, je me sens plein de remords d'avoir abandonné mes obligations d'héritier.

Kensaku reste silencieux. Son regard est fixé sur la table. Il lève les yeux et dit :

— Tu n'auras pas besoin de te sentir ainsi si tu écoutes l'histoire de tes parents.

Je le dévisage :

— Que veux-tu dire ?

— Je te parle franchement, Kenji. Tu as été adopté à ta naissance.

— Adopté ?

Je suis stupéfait :

— C'est une plaisanterie ! Je n'ai jamais vu les mots « fils adoptif » dans notre *koseki*.

Il répond, sérieux :

— Parce que tes parents ont déclaré ta naissance comme celle de leur propre enfant.

— Je ne comprends pas. Comment leur était-il possible de faire une telle chose ?

— Je l'ignore. Ce qui est certain, c'est que ton père était stérile.

« Mon père aussi était stérile ! » Embarrassé, je détourne les yeux. Il continue :

— Ton grand-père ne croyait pas en la stérilité masculine et il a forcé ton père à avoir plusieurs maîtresses l'une après l'autre. Mais cela n'a pas résolu son problème. Un jour, mon père, le supérieur du temple à l'époque, lui a parlé d'une femme enceinte qui devrait abandonner son enfant à cause d'une maladie cardiaque. Aussitôt, ton père a sauté sur cette occasion en disant qu'il prendrait l'enfant, sans distinction de sexe. Mon père comprenait une situation pareille, car pour mes parents, ça n'a pas été facile non plus d'avoir un enfant. Il leur a fallu sept ans.

Je dis :

— Je crois que mes grands-parents n'ont jamais su cette histoire.

— Probablement. L'affaire s'est réglée entre tes parents et mon père.

Je prends ma tasse de thé. Mes mains tremblent. Je la remets sur la table. La tête baissée, je tente de me calmer. Je suis essoufflé. Je frotte ma poitrine. Je respire profondément.

Je demande :

— Alors, ton père connaissait mes vrais parents, n'est-ce pas ?

— Il connaissait ta vraie mère, bien sûr, mais pas ton père.

— Non ?

— Tu étais un enfant naturel, dit-il.

«Enfant naturel ?» L'image de Mariko et de Yukio me traverse l'esprit. Je me répète : «Je n'étais pas seulement enfant adoptif, mais aussi enfant naturel...»

Je demande :

— Qui était ma vraie mère ?

Il répond, d'un ton calme :

— C'était ta nurse.

Ébahi, je regarde son visage :

— Sono ?

— Oui.

Je baisse la tête. Nous nous taisons un moment.

— Ne la blâme pas de t'avoir abandonné, dit-il. Elle vivait une situation difficile à l'époque. Ma mère la connaissait aussi très bien et elle l'a même aidée à accoucher. J'ai appris ces choses plus tard.

Je ne réponds pas. Je revoyais une scène de mon enfance : Sono chante en me frottant le dos, je m'endors. Les chatons miaulent dans le jardin. Je les regarde en me souvenant des orphelins de l'église.

Kensaku dit brusquement :

— Je n'ai pas d'enfant.

«Lui non plus ?» Je ne m'attendais pas du tout à ce qu'il soit dans la même situation que moi.

Je demande :

— Alors, que vas-tu faire du temple ?

— Il passera bientôt en d'autres mains, répond-il. C'est une longue histoire que je te raconterai une prochaine fois.

Il tourne la tête vers le jardin. Les chatons folâtrent autour de leur mère couchée par terre. Elle bâille. Kensaku dit, d'un air joyeux :

— Sono était tellement active malgré sa mauvaise santé. Elle a fait tant de voyages !

Je souris enfin.

— Tu as raison. Son dernier voyage l'a menée jusqu'à Harbin.

Il demande :

— Sais-tu pourquoi elle y est allée ?

— Je crois qu'elle voulait absolument revoir une personne qui vivait là-bas.

— C'était son amoureux russe, dit-il.

Je répète :

— Son amoureux russe ?

— Oui. Est-ce que tu te rappelles que, dans les années 1920, beaucoup de musiciens russes sont venus au Japon et qu'ils ont enrichi le domaine de la musique classique ? À Tokyo, Sono a rencontré un violoncelliste de l'orchestre symphonique de Harbin. Il est revenu plusieurs fois au Japon. En 1933, Sono est allée à Harbin en croyant que ce serait sa dernière chance de le revoir. Il semble qu'elle ait vécu sa vie de son mieux.

Avant de quitter le temple, je retourne à la tombe de Sono.

Je regarde de nouveau les lettres gravées sur la pierre. « *Wasurenagusa*, Sono, née en 1871, décédée en 1933. » Il n'y a pas de nom de famille. Je me courbe devant la pierre et prie longtemps. En me levant, je dis :

— Sono, qui que tu sois, ma nurse, ma mère ou bien mon amie, tu étais quelqu'un de merveilleux. Je suis heureux de t'avoir rencontrée en ce monde.

Ma femme tricote dans le jardin.

Je suis allongé sur l'*engawa*. Je vois des hirondelles voltiger dans le ciel bleu. Cette année aussi, un couple s'est installé chez nous et elles ont eu plusieurs œufs. Selon ma femme, ces oiseaux élèvent les petits ensemble. Ils couvent les œufs tour à tour, cherchent des insectes pour nourrir les oisillons, nettoient le nid en jetant les fientes. Cela m'émerveille.

Ma femme dit que les hirondelles lui rappellent le prêtre étranger qui s'occupait des orphelins comme s'il avait été leur vrai père. Les paroles qu'il m'a adressées avant mon mariage avec Mariko étaient celles d'un parent qui voulait protéger son enfant de ses malheurs passés et lui souhaitait du bonheur du fond du cœur.

Les rayons du soleil sont de plus en plus forts. Ce sera bientôt l'été. Je ferme les yeux. Un moment, je me demande si la stérilité et l'adoption existent chez les animaux.

Je réfléchis à l'histoire de mes parents, que Kensaku m'a racontée. Au début, j'ai été choqué, mais, plus j'y pense, plus j'ai le sentiment qu'ils étaient simplement les victimes d'une tradition familiale. Pour mon père, ce fut une humiliation de se savoir stérile. Et pour ma mère, ce fut une catastrophe de ne pas pouvoir tomber enceinte et d'être jugée stérile à la place de mon père.

De toute façon, mes parents ne se sont pas entendus. Je n'étais pas heureux durant mon enfance. Quand je me suis marié avec Mariko, j'ai fermement décidé de fonder une bonne famille, en les protégeant, ma femme et son fils Yukio.

Rin... rin... rin... Le *fûrin* tinte sous la brise. Je regarde le ciel de mai, très clair. Dans le jardin, Mariko tricote toujours.

— Bonjour, madame Takahashi !

C'est la voix de monsieur Nakamura. Je me lève en pensant que ce n'est pas jour de *shôgi*. Je descends dans le jardin. Il nous donne des nouvelles.

— Ma belle-fille a accouché hier soir et ma femme est déjà partie pour l'hôpital. Je suis en route pour y aller avec mon fils. Le bébé et sa mère vont très bien.

Nous disons :

— Félicitations !

Ma femme lui demande :

— C'est un garçon ou une fille ?

Il sourit :

— Une fille ! Mon fils et sa femme ont déjà choisi le nom du bébé.

Mariko demande encore :

— Quel nom ont-ils choisi ?

Il répond, excité :

— Sono ! C'est joli, n'est-ce pas ?

Elle me regarde :

— Sono ? Quelle coïncidence ! C'est le nom de ta nurse.

Monsieur Nakamura nous dit :

— En fait, mon fils et sa femme ne savaient quel nom choisir si c'était une fille. Quand j'ai suggéré ce nom, ils l'ont aussitôt retenu. Pardonnez-moi. Mon fils m'attend. Il faut que j'y aille. À bientôt !

Monsieur Nakamura nous quitte d'un pas rapide. En mettant le crochet dans un sac, ma femme dit :

— Je viens de terminer.

— Qu'est-ce que tu as tricoté ?

— Une couverture pour leur bébé, Sono !

Mariko et moi marchons dans le chemin sur la digue. Devant nous s'étend une grande rivière. L'eau est profonde, le courant rapide. Le vent souffle contre nous.

Mariko se met à fredonner à voix basse. Les rayons du soleil éclairent ses cheveux blancs fraîchement lavés. Au moment où je sens l'odeur de savon, une impression de déjà-vu m'envahit. Je m'arrête.

Elle me demande :

— Qu'est-ce qu'il y a ?

Je bégaie :

— Non, rien.

Nous continuons à marcher. C'est tranquille. Il n'y a personne. On n'entend que le bruit du courant. Mariko dit brusquement :

— Connais-tu l'histoire de *wasurenagusa* ?

Je répète :

— L'histoire de *wasurenagusa* ?

— Oui. Sais-tu pourquoi cette fleur s'appelle comme ça ?

— Non. Pourquoi ?

Elle raconte :

— Au Moyen Âge, un chevalier se promenait avec sa belle au bord du Danube. Il s'appelait Rudolf et elle, Berta. La fille aperçut, sur la rive, de petites fleurs bleues et elle voulut les avoir. Rudolf descendit. En les cueillant, il tomba dans le courant rapide. Désespéré, il se débattit, mais en vain. Berta paniqua. Il cria, en lançant les fleurs vers elle : « Ne m'oublie pas ! » et il disparut dans l'eau...

En l'écoutant, je me rappelle la rivière d'Irtych que j'ai vue dans la région d'Omsk où s'épanouissaient les fleurs de *niezabudoka*. Une jeune femme danse, portant une guirlande sur les cheveux. Un petit garçon court autour d'elle. J'entends le son d'une balalaïka.

Je dis à Mariko :

— Comme c'est triste, cette histoire !

Nous nous assoyons sur un banc de bois et regardons la rivière.

Mariko reste silencieuse. Son regard flotte en l'air, distrait. Je ne sais pas à quoi elle pense, mais je sais qu'elle a beaucoup de souvenirs de sa vie avant moi dont elle ne veut parler à personne. Ses yeux sont légèrement mouillés. Je lui tiens les épaules doucement. Elle se serre contre moi. Je caresse son bras. Nos genoux sont collés. Je me dis : « Mariko, je suis aussi d'origine douteuse. » Je sens la chaleur de sa peau se propager en moi.

Je ferme les yeux. Je rame contre le courant rapide. Dans le canot sont assis Yukio et Mariko, un bouquet de fleurs bleues à la main. Je vois les gens de l'église, qui m'appellent sur la rive : « Monsieur Takahashi ! » Ils agitent leur main. Les orphelins, le prêtre étranger, madame Tanaka... J'aperçois une autre femme qui s'approche d'eux. Elle porte un kimono à flèches violettes. Un petit garçon la suit en courant. Je crie aussitôt : « Sono ! »

GLOSSAIRE

Engawa : véranda oblongue en bois pour s'asseoir, installée devant la pièce à tatamis.

Fûrin : clochette qui tinte au vent.

Hamaguri : palourde japonaise.

Hiragana : écriture syllabique japonaise.

Innen : fatalité.

Kaïawase : *Kaïawase* : jeu qui consiste à chercher deux coquilles qui forment une paire originale. *Kaï* : coquillage ; *awase (awaseru)* : joindre.

Kaïmyô (*hômyô, hôgô*) : nom donné après la mort dans la religion bouddhique.

Katakana : écriture syllabique japonaise, utilisée principalement pour les mots d'origine étrangère.

Koseki : état civil établissant le domicile légal de la famille dont tous les membres portent le même nom.

Nagaya : rangée d'habitations mitoyennes sous le même toit.

Niezabudoka : prononciation japonaise de *Незбудка* myosotis (ne m'oubliez pas).

Obâchan : grand-mère, vieille femme.

Okusan : madame, femme mariée.

Senkô : bâtonnet d'encens.

Shamisen : instrument de musique japonais à trois cordes dont on joue avec un plectre.

Shôgi : jeu d'échecs japonais.

Wasurenagusa : myosotis (ne m'oubliez pas).

Yaoya : boutique de marchand japonais qui vend principalement des légumes.

Yukata : kimono d'été en coton.

Zabuton : coussin japonais utilisé pour s'asseoir sur les tatamis.

OUVRAGE RÉALISÉ
PAR L'ATELIER GRAPHIQUE ACTES SUD
REPRODUIT ET ACHEVÉ D'IMPRIMER
EN JUILLET 2020
PAR NORMANDIE ROTO IMPRESSION S.A.S.
À LONRAI
POUR LE COMPTE DES ÉDITIONS
ACTES SUD
LE MÉJAN
PLACE NINA-BERBEROVA
13200 ARLES

DÉPÔT LÉGAL
1re ÉDITION : 3e TRIMESTRE 2008
N° impr. : 2002359
(Imprimé en France)